父母指南

PARENTS AND TEENAGERS　5

少年十五二十時

管教的藝術

BALANCING FREEDOM AND CONTROL

9781565821149

解・凱思樂編／甘張梅君譯

管教的藝術

少年十五二十時──父母指南（第五冊）

編者：解‧凱思樂
譯者：甘張梅君
出版及發行：更新傳道會（Christian Renewal Ministries, Inc.）
北 美 總 會：200 N. Main Street, Milltown, NJ 08850
　　　　　　　電話：(732) 828-4545；傳真：(732) 745-2878
台 灣 分 會：台北市郵政信箱 90-55 號
　　　　　　　郵政劃撥第 13913941 號基督教更新傳道會
　　　　　　　電話：2735-2396；傳真：2732-6078
新加坡分會：Christian Renewal Mission
　　　　　　　Serangoon Central, P.O.Box 0560, Singapore 915502
　　　　　　　電話：354-1908；傳真：354-1127
馬來西亞分會：CRM Resource Centre Sdn. Bhd.
　　　　　　　P. O. Box 13287, 50806 Kuala Lumpur, Malaysia
　　　　　　　電話／傳真：90751210
香 港 分 會：九龍尖沙咀郵政信箱 98677 號
　　　　　　　電話：2349-3978；傳真：2717-2451
一九九九年十二月初版
版權所有‧請勿翻印

Balancing Freedom and Control —— Parents & Teenagers (V)

Editor: Jay Kesler
Translator: May-chun Kam
Published by Christian Renewal Ministries
200 N. Main Street, Milltown, NJ 08850, U.S.A.
Originally published in English under the title of Parents & Teenagers
©1984 by Youth for Christ, U.S.A.
1st Chinese Edition, December 1999
©1999 by Christian Renewal Ministries, Inc.
ISBN 1-56582-114-9
ALL RIGHTS RESERVED

責任編輯：曾靜君　　電腦排版：章俊　　封面設計：心約工作室　　內文插圖：張琪

v 序
vii 葛序
ix 譯者序

第一章　恩威並重的管教

3	何時該插手管孩子的事？	凱思樂
5	青少年為何抗拒父母的權威	賀之奎
9	如何讓孩子順服？	畢爾士
12	青少年的權利抑是家庭的權利？	高聯基
15	如何避免權力抗爭？	麥肯納
17	制定規則或任其反叛？	賴德
19	當孩子試探家規時	史聞道
22	青少年也是人	歐德蘭夫婦
26	有彈性卻不妥協	薛立

28	青少年如何利用父母的歉疚感來達到目的？	麥肯納
29	你是否寵壞了你的青少年孩子？	費爾蒙
31	誰佔誰的便宜？	麥肯納

第二章　　管教治家

37	要管教	魏斯比
40	管教與懲罰的差別	麥當諾
44	如何管教而不疏遠他們	耿格爾
47	管教原則是否一致？	皮德生
51	管教與溝通	李查之
53	教導孩子為自己的行為負責	羅格比
59	管教：家庭的朋友或敵人？	耿格爾
62	如何處罰不聽話的孩子	柯賴瑞
64	何時應對青少年孩子處以禁足？	羅格比
67	孩子長大時，管教方式應改變嗎？	費爾蒙
69	恩威並施	費爾蒙

第三章　　以信任治家

| 75 | 何時可以信任我們的青少年孩子？ | 凱斯樂 |

81	信任的內涵	羅傑爾
84	當孩子辜負你的信任時	賴德
87	此一時也，彼一時也	卡尼
89	何時才讓青少年孩子單獨在家？可以留多久？	瑞昂

第四章　　裝備孩子照管自己
如何幫助青少年孩子長大獨立

93	裝備孩子離家獨立	歐德蘭夫婦
98	保持一個開放的家	畢爾士
101	獨立戰爭	康威夫婦
105	孩子應對他的選擇負責	柯艾芙
107	教導孩子作正確的選擇	麥當諾
109	如何幫助孩子獨立？	沙亭
118	何時應開始放手？	沙亭
120	兒去巢空	柯艾芙

　　作為一個在今日服事神的出版者,我們時時謹記並自省的是:我們所出版的是否按著神的心意,符合現今的需要,且能夠滿足讀者,在讀者忙碌緊張和充滿壓力的生活中提供適切的助益?

　　神在造人之初,已明確地宣告,要人「生」「養」眾多。現今的世代,「生」的方面容易去規畫、控制,而「養」的方面卻總是存在著不少的疑難雜症——特別是在「少年十五二十時」的階段,父母與子女兩代各自的問題和兩代之間的問題一直就糾纏不清,且是難以解決的。

　　我們很興奮的,也是殊堪告慰的是可以出版這一套「少年十五二十時——父母指南」叢書;相信這是出於神莫大的恩典,給今日為人父母者的一劑屬靈強心針,堅固為人父母者那雙照顧呵護管教的手,好培育出屬神且合神心意的下一代——特別是在他們羽毛漸豐,即將振翅高飛之時。

本叢書共分七冊：

第一冊「難為天下父母心」，討論父母的角色及責任；

第二冊「年輕人的心」，幫助父母了解作年輕人是何滋味；

第三冊「家庭的合一」，討論到溝通、愛心及寬恕之心對親子關係培養的重要；

第四冊「幫助青少年成長」，論到如何培養孩子的自尊，發展他們的長處和價值觀；

第五冊「管教的藝術」，使我們了解如何在管與教上有彈性，卻不妥協；

第六冊「面對危機」，是針對家庭破裂而寫的；

第七冊「跨越崎嶇路」，討論仲裁家庭紛爭、子女擇友及面對文化差異的問題。

我們恭敬地將這套叢書獻在神的腳前，也擺在你——這令人欣羨的為人父母者的手中，求神來使用；並願透過你執行這尊貴的天職時，神因此得著祂可愛的子民——你和你的兒女，並得著祂應得的無比榮耀。

　　每一年，有成千上萬的書籍出版，但是，只有少數可以列為重要書籍。無疑的，本書就是那少數中的一本。
　　青少年在成長中常經歷到痛苦，而今日青少年的問題，更是沉重、複雜。似乎在突然間，青少年及其父母們就遭遇到上一代未曾遭遇過的種種問題。他們尋求歸屬感、生命的意義、目標及方向。在同儕及社會壓力的衝擊下，不得不重新調整自我，走向不同的方向。然而在此過程中，常遭到極大的困難。
　　為甚麼會這樣呢？我相信，基本的問題在於今日的家庭急遽且嚴重地趨向破碎。家，是神用來與我們溝通並塑造我們的基本方法

之一。在此資訊時代，我們都知道，通訊網一中斷，紊亂就發生。同樣地，家庭一破碎，種種的困擾及混亂就不可避免了。神對家庭的心意也會被扭曲而變形。

我們該如何挽救這可悲的遽變呢？這就是本書的主旨。書中不但透徹地探討當今青少年及其父母所面臨的種種挑戰，並提出應對之道，其可讀性甚高。這是目前我所看到討論這個專題，內容最豐富，方法最有益的一本書。任何父母，讀了此書，定會得到幫助，成為更有果效、有愛心的父母。我深信此書將會是家中的良師益友。

為何說此書如此可靠呢？看看目錄即可略知。我相信他們沒有遺漏任何相關的主題，可以說幾乎所有青少年及其父母們可能遇到的困難，書中都提到了。另外，花點時間看看作者名單。這些作者都有堅定的信仰、聖潔的生活，實得信賴。他們更具有豐富的經驗及智慧——他們是一群心理學家、心理醫生、青少年工作專業人士、輔導員、牧師及老師等。最重要的，他們都是看重家庭的父母，都曾體驗過甚麼方法有用，甚麼方法沒用，並且獻身幫助他人尋得神在他家中的美意。此書中，他們分享了自己的心得。

青年歸主協會發行此書，真是最適合不過了。這個基督教機構，以其幾十年來與青少年及其家庭工作的經驗，能巧妙有效地擊中問題的要害。他們深知當前青少年的問題是甚麼，所提出的解答，不但實際，而且經得起考驗。

從書中，你能找到與孩子坐下來，坦承頭痛問題的勇氣；學到如何處理危機；學習幫助發育中的孩子，將信仰運用到日常生活中；你更會學到管教的藝術，美好交通的喜樂，個人自尊的重要及家庭生活的報償。

但是，有一事此書無法替你辦到——它沒法代你將所談到的運用出來。只有你，在神的幫助下，才能做到。一旦你做到時，你和你的家將受益無窮！

葛培理

譯者序

　　提起筆來寫這篇序文時，心中有無限的感觸。畢竟，三年時光的投入，為時不算短。記得當初拿到此書時，兒子為聖剛剛出生。望著那又厚又重，字典式的書，不由得歎道：「何時才能完工呢？」然而，內心卻深深覺得，這是一本普天下父母所需要，所應讀的書。父神既將重任交託，祂必然賜下力量與智慧。

　　中國人常說：「天下無不是的父母。」或者，父母們在忙碌疲累不堪，又遭到兒女的頂撞與不滿時，常常會慨歎道：「我這是為誰辛苦為誰忙呀？」

　　一般而言，父母對兒女都有發乎天性的愛，並且願意把最好的給兒女。然而，到底甚麼才是對兒女最好的呢？兒女所需要的又是

甚麼呢？父母常忽略了這些問題，而「一廂情願」地將自己認為最好的加在兒女身上。等到衝突、不滿發生時，就帶來了傷心與困惑。

另一個常被忽略的事實，就是沒有任何一個人天生就知道如何為人父母。但是，儘管我們當兒女為「心肝寶貝」，卻甚少有人真正花時間精神，好好地裝備自己，學習如何為人父母，更別提設立「父母學校」，好讓父母能進修了。

而今天，作父母的責任尤其艱鉅。兒女們所面對的雖是進步但卻又是空前險惡的世代。在北美的華人父母，除了自己要在新國度中尋求扎根，更要幫助兒女找到自己。若無裝備，父母實在很難擔負為兒女「導航」的工作。

「少年十五二十時──父母指南」叢書，即是針對父母「教」養兒女各方面的需要編輯而成的書。它不是一個人的鉅著，乃是將八、九十位基督徒牧師、師母、心理學家及青少年工作專業者等人士在生活上、工作上的體驗很實際地舉例寫下來。內容幾乎涵蓋了生活的各個層面，無論是父母了解自己，或了解青少年方面，都有很好的提醒與原則的分享。

此書不僅可以成為青少年的父母很好的家庭顧問，也是每個將要為人父母或是有志於青少年工作者所應讀的書。外子天池與我衷心感謝神，讓我們在初為人父母時，就能逐句地將此書譯過或校過。無疑地，是為我們上了一課很好的「父母教育」。也更因著此書，使我們敢於在教會的青年團契中學習服事。此書真是成了我們隨時的幫助，並從中看到神的信實。在此也要特別謝謝團契中的孩子們，隨時為我們禱告，協助我們完成此書。

今天的青少年孩子到底需要甚麼呢？他們最需要的，不是別的，乃是父母間彼此相愛，父母的時間及從中給予他們的愛。我們懇求天父，藉著此書，喚醒更多忙碌的父母們，將心思真正地放在兒女身上。並在父神恩手的帶領下，將祂「所賜的產業」調教成為合祂心意的國度人才。

甘張梅君謹識於加州千橡城

第一章

恩威並重的管教

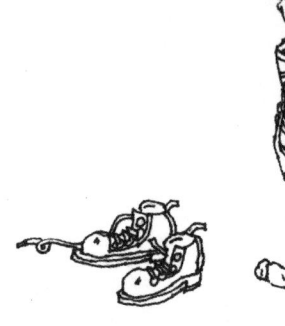

- 何時青少年孩子們的事會成了你的事？
- 家規的重要：學習有彈性卻不妥協。
- 如何讓毛頭小子順服你？
- 父母應總是佔上風嗎？
- 如何避免權力抗爭？
- 你是否寵壞了你的青少年孩子？

青少年孩子並不排斥公正又有愛心的權威。事實上，若是生活中沒有界限或規範的話，他們反而會感到焦躁且沒有安全感。但權柄不是我們所能強求的，而是要我們去贏得。

當我們抱起小嬰兒，愛他、摟他時，就開始在建立我們的權柄了。等他們智力漸長時，我們就要為他們設立原則及界限。他們會尊重我們如此做，因為我們樂於向他們解釋，要如此做的理由；與他們討論我們的顧慮；並在他們犯規時，讓他們明白作父母的為他們前途所操的心。我們若是這麼做，不但建立起自己的權柄，同時也樹立起神的權柄。孩子們將會看到，神愛罪人，卻恨惡罪，因為祂不願我們受到傷害。他們也因此不會覺得要愛神、跟隨神是一件難事，因為他們在父母身上已看到恩威並重的實例。

何時該插手管孩子的事？

■凱思樂　Jay Kesler

　　有些年輕人與父母有非常好的溝通。父母對他們的活動真的很感興趣，樂於聆聽、分享，且對孩子所說的，不下主觀批判，能細心觀察而不給孩子需要改變的壓力。這些父母會這麼對他孩子說：「那真有意思！我也曾有過同樣的問題，而我是這樣解決的。」或是：「記得我也曾為此掙扎過，而且老是失敗。」只有在這種坦誠開放的氣氛中，才可能帶來雙向的溝通，因為孩子不會有威脅感。孩子做錯事時，不怕說出來。父母心中擔憂時，也可以問些問題，而不至讓孩子們覺得萬事休矣，一切都要拆穿了。因為孩子已知道父母是如何處理失敗、困難及挫折，因此他們願意冒險，與父母談談那敏感的問題。

　　我從父母那裏聽到最窩心的話之一就是：「如果我的孩子如此說，那就一定是事情的真相。」雖然有時父母會被矇騙，但我希望父母對自己的孩子認識夠深，看得出他們是否說了實話，即便所聽到的是令人不快的事實。

　　當孩子如是說：「嘿！我們可以告訴爸爸，因為我知道他會了解的。」這也顯出了同樣的信任。我經常告訴年輕人，父母常比他們想像的還開明，尤其是在大事上。例如，我曾陪一些年輕人去告訴他們父母，他們的女兒懷孕了。這是一種很極端，又艱難的情況，但每次我們談過之後，那年輕孩子與我都會很訝異地發覺，父母們都能處理得非常合宜。通常在大事上，父母似乎擁有更大的智慧與能力，遠比他們處理小事時更為成熟及有耐心。

　　當我們在處理年輕人的事時，能不失控或不小題大作，而能與他們建立起很好的默契，那麼我們才能深入他們的生活，探出一些端倪。如果我們注意到孩子生活中一些可疑的跡象──例如功課退步，突然變得很懶散，或是找到吸毒的器具，或是聞到異味，或是注意到一些奇怪的舉止，那就是該找他們談談的時候：「有甚麼事我們應該談談的嗎？」或問他說：「告訴爸，怎麼啦？」或是：

「媽能在這方面幫甚麼忙嗎？」或是：「爸覺得有些不對，想知道真相。」

我認為父母有責任發問，即使這樣做會暫時令孩子覺得你不信任他。如果查證的結果是根本無需擔心，那麼你就該說：「很抱歉，媽不是故意不信任你，但是媽很愛你，不希望你受到傷害。有時我們會陷入某種情況而無力自拔，需要別人來幫忙。媽一直希望

「寶貝兒，爸愛你！」
■麥道衛
Josh McDowell

有些父母過分忙於工作與教會活動，以至於沒有時間培養親子關係。這樣的父母就沒有資格對孩子採取強硬的態度，因為他們之間缺乏良好的關係，來緩衝強硬要求可能引起的衝擊。

父母應當容許孩子們犯錯，也應學會聆聽，而不馬上責備或更正。我深信，在大多數的情況下，只要父母肯聆聽，許多問題都可迎刃而解。有時父母親得說：「兒子，爸不同意那件事。但若那是你想做的，我仍會支持你。」這與說：「隨你便好了！」是不同的。

對許多父母來說，真正的問題出在他們擔心自己的名譽受損。在福音派基督教圈子中，我算是小有名氣。在管教孩子時，我很容易會這麼想：「如果我不這麼做，別人會怎麼想呢？」其實這種管教動機是錯的。這個問題我必須正視，如果有一天我孩子的行為令我感到受窘，我該怎麼辦呢？我曾寫過不少關於性、愛、及交友的書，我的女兒若婚前懷了孕，那我又該怎麼處理呢？我相信神會給我力量，能不理會那些指摘批評我的人，而抱著她說：「寶貝兒，爸愛妳！」

能隨時幫助你，所以才問一下。請原諒媽對你不正確的判斷。讓我們保持溝通，好讓你我生命中有難處時，隨時都能彼此幫忙。」

如果查證的結果發覺孩子確實有問題，父母該怎麼辦呢？父母一旦在孩子房間找到違禁品，或許可以這麼說：「爸媽願向你道歉，我們看到一些危險的跡象而起了疑心，因此搜查了你的房間，結果找到這個東西。爸媽很難過，你避著我們藏這個東西，現在讓我們一同來面對這個問題。」

我相信孩子們基本上也期望父母對他們的福祉如此關懷；一旦得不到時，他們對我們的尊重也會減少了。

與本段有關文字
第五冊第一章　青少年的權利抑是家庭的權利？
第五冊第一章　當孩子試探家規時
第五冊第二章　管教：家庭的朋友或敵人？
第五冊第三章　當孩子辜負你的信任時

青少年為何抗拒父母的權威

賀之奎　Ronald P. Hutchcraft

在今日的社會裏，父母權威的觀念已經改變了。許多父母依稀記得，以前家中爭論的結語總是：「因為我是你父親（或母親），你非聽不可！」但今天，人們對權威的看法已經大不相同。從青少年的角度來說，父母的權柄並非與生俱來。權威是「贏得」的，而不是強求即有的。

沒錯，聖經給父母特殊的權威地位來管教孩子，但在青少年眼中，父母是否能怡然地享受那地位，則是另一回事。或許你會有興趣，想從一些研究報告中得知，關於獨裁的父母對青少年的長遠影響。所謂獨裁的父母，是指那些對孩子從來不支持的父母，卻又嚴格管制孩子們的行為。研究報告說，父母若一味要求孩子服從他的

權柄,且是以大壓小的方式得逞的話,也許能換來孩子暫時的服從,卻會招致長久的反叛。獨裁的父母或許會覺得孩子「中規中矩」,實則他們不過是暫時隱忍,心中等待著能為所欲為的那一天來到。因此,表面上看來,這些父母好像很成功,但是真正的考驗,乃要看那孩子將來變成甚麼樣的人才可定論。一般來說,反叛性格的孩子多半出自有獨裁作風的家庭。

下列是孩子抗拒父母權威的幾個原因:

1.「**我覺得不被尊重。**」如果一個年輕人覺得你不在意他,或不尊重他,他很可能也不會尊重你。教導他們尊重他人的最好方法,就是尊重他們。因此,如果你的孩子不尊重你,不妨自問:「我尊重他們嗎?」父母可以下列方式表達對自己子女的尊重:

● **尊重他們的朋友。**青少年生活中最重要的選擇,可能就是對朋友的選擇。如果你不尊重他對朋友的選擇,即使對他們的態度並不惡劣,基本上還是等於在向孩子說:「我不尊重你的選擇權或你的選擇。」即使你不喜歡或不欣賞他的朋友,卻仍肯友善地對待他們,而不排斥他們,你這麼做必會在孩子生命中留下深刻的影響。

● **讓他們自己作決定。**給他們時間、空間;並且提些問題,給些建議。若他們不能馬上同意你的看法,也不必恐慌。給他們自行作決定的餘地及權利。

● **尊重他們的個人隱私。**葛培理(Billy Graham)的女兒說,她對父親最美好的回憶之一,就是她的父親從來不會不敲門就闖入她房間。我們要以行動來告訴孩子:「我很尊重你的隱私權,包括你

神,我們的泉源
■蘇伯隆
Peter Sjoblom

聖經禁止我們犯罪,不是因為神要禁止甚麼事,或是神會因為我們的罪受窘;乃是因為罪的結局會帶來死亡。

因此,我們作父母的,絕不應為著自己有建立權威的需要而管教。我們的動機,應出自對孩子的愛。神不是製造家庭問題之因,而是解決家庭問題之源。

的信件、房間及你和別人的談話等。」

2.「**他們根本不聽我說話！**」孩子們抗拒父母的權威，是因為他們覺得父母並沒有真正在聽他們說甚麼。青少年不跟父母說話的原因並不是他們不想找人談，通常他們會找人談，但往往卻只找朋友談。但這就像是向另一個身陷流沙的人，請教如何脫身一樣。

他們之所以寧可與朋友討論自己的問題，是因為所得到的結論比跟父母談來得好（這只是從他們的角度而言）。他們覺得跟朋友談時，朋友會「聽清楚」他們說甚麼，而不只是聽到而已。如果你的孩子不喜歡跟你談話，可能是因為他們覺得你不了解他們的想法，所以也不覺得你有權告訴他們應如何作決定。

父母如何鼓勵他們說話呢？試著請教他們，讓他們知道你珍視他們的看法及建議。花點時間跟他們在一起，參加他們的球賽，及一些對他們來說是重要的活動。試著與他們一起參加一些正式場合，這樣，你們彼此就不得不說話。在作答或是一股腦兒說出你的看法之前，多問些問題。我們作父母的總傾向於在孩子開口說第一句話時，就馬上回應。求神幫助你控制自己，並且能體認到，倉促而又缺乏智慧的回答，只會關上他們向你傾訴的門。試試這麼說：「噢，是這樣啊！那現在你覺得怎樣呢？為甚麼呢？」或說：「你的朋友怎麼想呢？」當你問了許多問題之後才開始回答，在孩子眼中，你的回答就更具權威了。箴言十八章13節在這方面對父母有很好的勸導：「未曾聽完先回答的，便是他的愚昧和羞辱。」

當你真的願花時間聆聽他們說話時，就一定要專心聽。如果你實在沒空，就說：「媽現在很忙，但是我很想聽你說。好不好等半個鐘頭之後，媽就可以專心聽你說了。」一定要記得把那段「全部屬他的」時間給他。

3.「**我覺得他們太食古不化了！**」孩子們多半都不太尊重那些「永遠都不會錯」的父母。如果你永遠都對，從來不道歉，也從不求寬恕，對他們而言，你實在是高不可攀。在他們心目中，他們是處在一種「贏不了」的情況下。這麼做只會扼殺彼此的溝通及尊敬。儘管你能勉強他們做你要他們做的事，但是你沒有真正可以正面影響他們生命的權威。所以，不要希望甚麼都是他們應該改變。

既然我們都會犯錯，就乾脆承認這個事實，而不要一味壓抑他們。要平易近人，不然，孩子們只有聳聳肩說：「跟他們說有甚麼用？我早就知道會是這種結果了。」

4.「**我覺得不被信任。**」青少年常常抱怨父母不信任他們。當我與青少年談話時，我常告訴他們，作個能被人信任的人十分重要。在父母這方面，我們應找機會顯示自己對兒女的信任：例如，讓他們處理一些錢；在合宜的情況下，允許他們開車；在一定的範圍內，讓他們自由支配自己的時間；並在與他們約法三章之前，先徵詢他們的意見。讓他們看到，如何能從你那裏贏得更多的自由，要盡可能地應允他們的要求，這些都可以表達出你對他們的信任。

再者，論到信任這件事，我們作父母的往往不是基於目前發生的事，而是基於將來可能發生的情況來反應。我們猜想甚麼事「可能」會發生，因此疑懼、不安。我們問個不停，指責他們並未犯的罪，以致他們有壓迫感，且覺得不被信任。我們的恐慌，導致孩子們覺得我們總是不信任他們。如果能夠提出一些刺激他們思考的問題，來取代原有的指控會更好，要相信神會保守你的孩子的一生，因為你一直在為他們禱告。權威應植基於你與孩子間的互信上。

5.「**我覺得無所適從。**」孩子抗拒父母權威的另一原因，乃是因為有時候父母所訂定的規範及賞罰界限不明。以橄欖球賽來說，你知道碼線在那裏，邊線在那裏。球員們打起球來，清楚知道規則是甚麼，違規的處罰又是甚麼。治家原則亦同，如果界限改個不停，而賞罰又不一致，會讓孩子感到很困惑。應盡早定下規範及賞罰原則，並且公平一致地施行。孩子若對規範不清楚，他們就會利用當中任何不一致或混淆不清的可乘之機來試探你，這樣至終會養成他們反叛的心態。

另一個使孩子覺得無所適從的情況，就是爸媽在管教上的意見不一致。我相信父母在懲罰的事上同心一致，遠比尋求完全正確的處置方式更為重要。父母任何一方施行懲罰時，即使有不當之處，也比兩人在孩子面前看法不一致，其傷害還算小。父母應等事後孩子不在場時，再來談其不當之處，因孩子們很快就學會利用任何可乘之機會，予以「各別擊破」。權威不一致時，會令他們對父母雙

方都不尊重。

6.「**我父母是個壞榜樣。**」孩子抗拒父母的另一原因，乃是覺得父母沒有立下好榜樣。他們覺得父母期望他們做某些事，但自己卻沒有做到。他們希望父母是他們的好榜樣──藉著他們自己的榜樣，讓孩子們看到他們年輕時是如何生活，並如何處理各種不同的人生際遇。我們作父母的當問自己：「我的態度和榜樣如何？是否真的敢讓孩子效法我，學我的樣？我曾否叫他們把衣服掛好，而自己卻做不到？我是否叫他們尊重我，卻對他們不甚尊重？我是否告訴他們與神有美好的關係很重要，卻不曾讓他們看到我讀聖經或對屬靈的事感興趣？」

與本段有關文字

第二冊第三章　自以為是的毛頭小子
第五冊第一章　何時該插手管孩子的事？
第五冊第一章　如何避免權力抗爭？
第五冊第一章　是誰佔誰的便宜？
第六冊第二章　能預防悖逆嗎？

如何讓孩子順服？

■畢爾士　V. Gilbert Beers

「如何讓孩子順服？」這要看你對順服的看法是甚麼。這可意味給孩子洗腦，叫他凡事按你的意思行，不管對他有益與否。

但是，那一對有智慧的父母會要孩子這樣全然不經思考、毫不質疑的順服呢？若是這樣，倒不如把孩子變成機器人，給他裝個開關來討我們的歡心好了。父母若這樣想的話，就是認為自己完全明白孩子的需要，並且希望孩子永遠不要長大，也最好不要有獨立判斷的能力。

我認得一位四十來歲的人，非常怨恨父親，因為過去父親為他

設想一切,以致他從沒機會學到如何成為一個能獨立思考的人。如今他父親已無法再為他作決定了,他這才發覺,現在要開始學,實在太困難了。

在我們期望別人順服之前,要想想自己是否值得別人來順服。我們所要求的事,是否對孩子真的有益?還是你的青少年孩子所提的意見可能更好?

大家都認為父母知道如何替年幼的小孩選擇最好的,但這情況是會隨著他們年紀增長而改變的。當青少年孩子逐漸長大成熟時,即便得冒著失敗或受傷的危險,他也一定需要學習作一些決定。因此,在要求孩子順服的這事上,首先父母要能確定自己是對的;而不要老是認為孩子是錯的。就算是個小小孩,他也會有對的時候。

聲明了以上這點之後,讓我們假設,我們這些作父母的對孩童及其需要所作的決定,大部分都是對的。既然如此,為何我們仍得不到我們認為應得的順服呢?這有幾種可能:一種可能是,孩子並不尊重父母的權威。有時孩子是因同意父母的看法而順服;另一些時候,他們卻只是為了討父母的歡心而順服。

為人父母的功課之一,就是要在孩子的心目中建立起對父母應有的正確看法。父母並不是孩子脫離「家」鎖之前,得長期忍耐的累贅。神膏立父母來照應孩子的福祉,直到他們長大成熟,能照顧自己為止。

父母或許應趁孩子還小時,多花些時間建立親子之間互重與互

不順服的誘惑
■錄自「聖經珍寶」
The Biblical Treasury

有個小男孩,家中有棵櫻桃樹,父親叫他不要碰。有一次,他的朋友試著說服他去摘一些熟了的櫻桃。

他們說:「不要怕,你父親對你那麼好,不會因為你摘幾顆櫻桃而罰你的。」

小男孩回答說:「就是因為這樣,我更不應該去碰了,因為我的父親雖然不會懲罰我,但我的不聽話卻會傷他的心。」

愛，而少花時間去計較他們是否事事順服。順服，大多是出自我們對所順服的對象之尊重與愛的表現。

我們是否可用禮物「買」順服呢？當然不可以。禮物是用來表達愛的，但卻絕對買不到愛。如果我們愛某人是因他送我們禮物，那麼我們的動機就不對了，因為我們愛禮物甚於送禮的人。但如果我們因送禮的人而愛那禮物，我們就是把人擺在禮物之前。我們不可能賄賂別人來愛我們，也不可能賄賂別人開心樂意地順服我們。

如果你得一再「處罰」孩子，才能讓他順服的話，或許你應該反省一下，自己與孩子間是否存有愛的關係。

當然也有可能孩子是因心目中有其他對象在爭取他的愛與忠誠，所以儘管他很愛父母，卻無法順服他們。有些孩子可能不自覺，而傻傻地受同儕壓力的影響，卻忽略了父母親的愛。如果我們相信孩子確實愛我們，但又無法順服的話，或許可以溫和的方式去了解一下，有甚麼原因在從中作梗。我們也要有心理準備，因可能會發現，孩子並不能分辨其間的不同；即使他能，他也可能沒有足夠的力量使自己從那種掙扎中解脫出來。

愛乃是順服的最大動機。我們愛誰最深，就順服誰最多。我們也愛那些先愛我們的人，或許這就是贏得順服的最好方法。要無條件地愛我們的孩子，愛他因為我們應該愛他，且真心地愛他，而不是因為我們想要得到甚麼。如果我們愛得夠深，一定會點起孩子心中的愛火，使他也以愛回報。除非有別的競爭力量比我們的愛更大，孩子終究會順服的，不是出於無奈，而是出於自願。

與本段有關文字
第五冊第一章　制定規則或任其反叛？
第五冊第二章　要管教
第五冊第二章　管教原則是否一致？
第五冊第二章　如何處罰不聽話的孩子？

青少年的權利抑是家庭的權利？

■高聯基　Gary R. Collins

我不太喜歡「權利」這兩個字。

只要我們一提到權利，就已經製造出一種緊張的情勢。時下有女性權利、黑人權利、學生權利、同性戀權利、工會權利等等。一談到青少年的權利，我不期然地就會想到，我所認識的一個青少年孩子，他買了一臺收音機，安裝在他們家的車裏。從此他認為，只要在車裏，他就有權播放「他的」音樂，不管還有誰在車上；卻忘了那車子是他父母的。

我比較偏愛使用「尊重」這兩個字。父母與青少年應當彼此尊重。

我們家的車買來時就有收音機。因此，基於彼此的尊重，我們決定，若一同外出，出發時，由父母來選台，回程則由孩子選。有時音樂顯然很難聽，我們就會基於彼此尊重的緣故，將它關掉。漸漸地，我們發現可以欣賞彼此所選的某些音樂，也因而帶出了親子間美好的溝通與交流。

尊重還必須與了解並行。例如，如果我肯盡力去了解孩子對音樂的不同看法，那麼我才能說：「嘿，也讓我告訴你，我是怎麼想的。」如果我們肯聽聽孩子的看法，孩子也就會樂意聽我們的。

我們在家時，也像在車子裏一樣，盡量去了解彼此對音樂的喜好，並且彼此尊重。在聽芝加哥交響樂團的演奏時，我不會把收音機開得又大又響，而是調得低低的；而孩子們聽搖滾樂時也是一樣。晚餐時間，我們彼此妥協，選些比較中性的音樂，例如現代聖詩唱片或錄音帶，並且將音量放得適中。

在輔導問題青少年時，我聽到最多的抱怨之一，就是「我父母不了解我。」如果父母能夠說：「不錯，我是不了解，請你幫助我。」如此就表露出嘗試了解孩子的態度。表達意願是進行了解的第一步。但這並不容易，是需要下功夫的。我不明白我十五歲的女兒為何在頭髮上抹銀漆。我知道她要有副「龐克」的形象，只是我

很難理解。我比較能接受她的穿著，了解那是時髦的打扮。我試著去體諒，她也看得出來。

父母與青少年若想要彼此了解，還得彼此互相溝通。我們必須找時間分享。家庭討論固然很好，實際上卻不容易維持，所以我儘可能地常帶孩子們出去吃午飯，有時候我帶他倆一起去，但多半的時候，我會個別帶他們出去，問問他們的社交情形如何，學校功課又如何等等。我對他們的生活感興趣，這個小小的事實，就足以讓他們樂意開口交談。

總之，尊重乃是關鍵。我們不可能完全拿他們當大人看待，卻可以尊重他們。為了尊重他們，有時我們得容許他們從錯誤中學習。

女兒有一次交了一個朋友，我們覺得會帶給她不良的影響。內人與我於是必須面對兩種選擇：(1)不准女兒見這個朋友；(2)表達我們不同意，列出理由，然後讓她自己決定要如何處理。

第一個選擇只會帶來權利的抗爭，緊接著，可能會有不誠實的行為表現，因為女兒可能會避著我們與這個人見面。相反的，第二個選擇則讓她參考父母的建議之後，作出自己的決定。有一天她就會明白我們給她這些自由是因我們尊重她。過了一段時間後，她逐漸了解我們的立場。她並沒有當面承認自己是錯的，我們是對的。但有一天她竟然說：「老天，與那人交往，對我真是沒有甚麼好處。」如果我們當時勉強她，相信一定會三敗俱傷。當然，有時候父母得當機立斷說不行。但即便如此，孩子也會知道父母尊重他們，也明白父母的立場，往往這樣對大家都是好的。

與本段有關文字
第三冊第二章　彼此尊重
第七冊第一章　你對孩子公平嗎？

作個體諒的父母
■高聯基
Gary R. Collins

去年有個星期日,有一隊青少年樂手在我們教會演出。我並不欣賞他們的音樂,但孩子們喜歡極了。一位我認識的音樂老師坐在我們前排,我傾身向前,問他說:「你覺得這音樂如何?我打賭你一定不喜歡。」

「對,我是不喜歡。」他說:「但我把它當作民謠。我們既然有西班牙音樂、黑人音樂、斯拉夫音樂,當然也可以有青少年音樂,我就嘗試以如此的心態去欣賞它。同時我也得承認,我所認為高雅的貝多芬曲子,並不是世上惟一的音樂。」

這位音樂老師的回答,讓我在培養對青少年觀點的體諒上,學了重要的一課:不要老以為自己是父母,所以一定是對的。誰說巴哈聖樂作品就比滾石樂團的搖滾樂好呢?

然而對一個青少年來說,選巴哈或是選滾石,這是一個很實際的問題。只是我們不願意多思考它,因為我們非常自信自己是對的。我們的言辭態度所傳達出來的訊息是:「你錯了,不要再問任何問題了。」其實,我們也應自忖一下:「或許他們也有道理。」「或許他們的觀點是對的。」一旦我們跨出了這樣的一步,我們才能培養出真正體諒的心態。

有時候,只需拍拍肩膀,或是短短幾句鼓勵的話,就能表達出我們是體諒的父母,而青少年孩子對積極的鼓勵是頗有反應的。最近,一位我認識的男孩很氣憤地走出教會。我在外面看到他,問道:「你怎麼啦?」

他因著某件事對他父親很生氣,他說:「真是氣死我了,真是不公平!」

我不願偏袒那一方,只是說:「我了解,有時我也會很生氣。」

回家後,我知道他的父親不會介意,便寫了幾句鼓勵的話寄給這位年輕人。下一個主日,他對我說:「我收到你的條子了,謝謝你對我的關心。」

他沒再說什麼。但從我對自己孩子的經驗中,我知道他心中的感受,是遠超過言辭所能表達的。

如何避免權力抗爭?

■麥肯納　David L. McKenna

要避免權力抗爭,父母與青少年之間一定得彼此尊重。而這種彼此尊重的關係,可以藉著日復一日地活出三個主要的原則:愛、誇獎及前後一致來表現。

愛,不但要說出來,也得活出來。充滿愛的家,會有種特別的風格。我們不該再像五〇年代的小兒科醫生史巴克(Benjamin Spock)那樣反對體罰,因為知道只要在明顯有愛的情況下,我們可以處罰孩子,而不會造成負面的影響。在處罰時,我們應小心謹慎,也需前後一致;使孩子感受到愛而能坦然地接受處罰。

布蘭加(Kenneth Blanchard)與蔣生(Spencer Johnson),在其暢銷書「一分鐘的管理」(The One-Minute Manager)中,建議:僱主應誇獎僱員一分鐘,然後再責備他一分鐘。其原則是:「改進工作的表現,但也要記得給人留面子。」在那一分鐘的責備中,僱員可以立即知道自己錯在哪裏。如果他的言行是被誤解了,也可以當場解決。

在家裏也是一樣，首先要讓孩子知道我們珍視他。個性上的瑕疵與表現不佳是兩碼事。一個家必須以愛作為基礎，孩子就不會誤以為，受了責罰便等於失去了你的愛。其次，我們應讓他們看到，我們的責罰是針對行為，而不是針對他的個性或他個人；說「你撒了謊」跟說「你是個愛撒謊的人」是截然不同的兩回事。

沒有甚麼比誇獎更具有效的動力了。有人問著名的前籃球教練伍登（John Wooden）如何鼓勵球員，他說：「我只是盡量注意他們做對了的事。」我想我們對青少年孩子們有太多的期望及失望了，因此即使當我們注意到他們做對事時，也不誇獎他們。如果能養成誇獎的習慣，獎賞就是自然的結果，而不是操縱的手段。

最後，家中沒有甚麼原則比前後一致更重要的了。如果青少年孩子看到前後不一致的原則，他們就會對孰是孰非感到很困惑。

只要一個家庭能用愛、誇獎及前後一致這三個原則為基礎，家

不要小題大作
■麥瑞
Harold Myra

以下是四個能避免小題大作的要點：

第一，父母在決定處罰之前，先要從一數到十，但更好的是能數到一百一十。父母應多聽、多想、多禱告。

第二，父母應有安全感。如果他們沒有，至少也得表現出有的樣子。如果父母心中沒有安全感，就會常想證明自己有。有時因為心中害怕自己會喪失權柄，於是很容易就要強迫孩子投降。青少年孩子需要有能作領袖及輔導的父母，而不是霸主。

第三，父母在接受並同意任何新的構想之前，應有這個心志：「讓我先考慮一下再說。」

第四，應與配偶一起作決定。無論在打籃球或在為人父母時，二人聯手都是極有效的戰術。

人就會彼此尊重。只要家人能彼此尊重，就沒有必要藉操縱對方來爭權，父母與青少年孩子間也就可以避免權力的抗爭。

與本段有關文字
第五冊第一章　青少年為何抗拒父母的權威？
第五冊第一章　是誰佔誰的便宜？
第六冊第二章　能預防悖逆嗎？

制定規則或任其反叛？

■賴德　Norman Wright

　　沒有規則，就會呈現無政府狀態；太多的規則，則使孩子意志消沉，或導致反叛。提早心理預備與開明的態度，或許是這兩極端中間的平衡之鑰。

　　在我們女兒雪柔快到可以開車的年紀之前（約在可以開車之前二、三年），我們就與她討論開車的問題。等到她十五歲，拿到學習許可證時，我們就訂出使用車子的規則。

　　我們決定訂出一個開車契約。我叫雪柔自己想出一些原則，內人與我也同樣這麼做。最後，我們三個坐下來「談判」，訂出合約。合約條文內，包括列出女兒多久可用一次車，車中能坐多少人，誰付保險費，萬一有車禍，誰出自付額等等。

　　這些決定倒也不是完全民主的，在好幾方面我都不許她討價還價。但是我們提出我們的建議，雪柔也提出她的，訂出契約之後，我們都簽了名。這些規則一直到雪柔十八歲為止都有效，之後我們可以說是一點問題都沒有。偶爾因情況改變，有些條款須略作修改。但修改時，我們一定都一起討論，絕不會背著女兒去做。

　　我想在許多方面，都可以採取這類立約的方式，不只限於開車。對約會我們也同樣地訂下契約，例如，一週可約會幾次，及返家就寢之時間等等。規則是否白紙黑字寫下，並不那麼重要，重要

的是規則很具體，且是彼此都同意的，並符合孩子的個別需要。

處罰方面又如何呢？當我們訂契約時，並未規定違規時如何懲罰，因我們寧可相信她會守約。愛是「凡事相信、凡事盼望」（林前十三：7）。基於此，我們願意給她機會。

但若一旦違規，當然就得處罰。那時就應與青少年孩子坐下來談談：「你破壞了這條規則，你說該怎麼辦？」決定了處罰方式後，需再和他們談談下次如何可以避免違規。盡量向前看，瞻望未來。

「聆聽重於一切！」
■麥當諾
Gordon MacDonald

當別人問我說：「你的青少年孩子之所以能守規矩，是不是因為你早年所打下的基礎呢？」我會由衷地同意。在孩子們十歲以前，我們努力以開明的溝通方式，培養他們彼此接納的態度。所以當孩子們進入青少年期時，他們知道沒有甚麼不可以跟我們談的。在他們年紀尚小時，就能自在地表達他們的想法與感受。如果我們與他們的看法不同，就會告訴他們為甚麼。我們從來不會因他們提出問題而處罰他們，也從不會使他們覺得自己很卑微。我想，基於在孩子十歲或十一歲之前所建立起的互信，在孩子們進入青少年期後，也就一樣覺得可以自由自在地表達內心的感受。

我另外還發覺青少年有一種特性，即兒子覺得跟媽媽比較能談心，而女兒則與我較談得來。我稱這奇妙的關係為異性交流，孩子們喜歡這樣做，也覺得很好。或許是女兒覺得母親對女人知道得太清楚，而兒子覺得父親對男人也了解太深了吧！或許他們覺得跟不同性別的父親或母親談，比較能多保持一點尊嚴。

要在規則與自由兩者中找到平衡點並不容易。身為父母，我們常會想多方限制他們，深怕以往的教導不夠。我們希望看到他們在兒童時期表現良好，青少年期更能中規中矩。然而這種作法可能使孩子想擺脫所有的規矩，包括你費心灌輸給他的一切標準。但是反過來說，若沒有將規則給孩子，也會令他們驚慌失措。

要確保管教的平衡，就得保持與孩子密切溝通。他們不見得每次都同意那些規則，但如果他們雖不同意卻也願意遵行的話，那就八九不離十了。要清楚知道他們的想法並不容易，因為毛頭小子常常會在短時間裏改變他們的看法。只有眼觀四面，耳聽八方，隨時保持靈活的態度，相信會對此有所助益。

規則是訂來遵守的，其至終的目標是希望把隱藏在規則背後的觀念，內化成為孩子自己的觀念，我們不希望他們只有在口舌上順服。父母親應在孩子們八、九歲時，就開始與他們談論規則背後的價值觀及原因。

與本段有關文字

第五冊第一章　如何讓孩子順服？
第五冊第一章　孩子試探家規時
第五冊第二章　如何處罰不聽話的孩子？
第七冊第一章　合理的規則

當孩子試探家規時

■史闖道　Charles R. Swindoll

「管教你的兒子，他就使你得安息，也必使你心裏喜樂。」（箴二十九：17）

聖經雖然如此明言，然而在現實生活中，青少年就是想要試探家規。

我到現在還不曾真正遇見過一個不想知道規範的青少年；因為

明白界限何在之後，他們心中才會有安全感。但青少年孩子並不希望我們把所有的規條像馬丁路德的九十五條論綱一樣，釘在他們臥房門上。他們也不想每早醒來，就聽到有人把家規複述一次。但是他們的確想知道家規是甚麼，也希望確實執行那些規條。但另一方面，他們也會儘可能地去試探其極限。

舉例來說，我們家有個規定，孩子們在十六歲前不可以單獨約會。他們總是不斷地試探這條家規，又爭、又鬧，直到滿了十六歲開始單獨約會為止。偶爾有一兩次，我們也會破例，但那些必須是「很特別的」情況才行。當然，有時候不可能每件事都按我們的家規而行，比如說，有一次，女兒必須由她所中意的一個男孩子送回家，但那並不能算是約會。我們厲行家規，也收到了該有的效果。

我們施行家規的方法，對孩子的影響很大，並且關係到他們是否會繼續遵守。

正如別人一樣，我們對孩子也有時間上的管制。但我們並沒有硬性規定說：「九點半一定得回家。」我們試著在不同情況下，訂下合理的規定。如果聚會要到九點十五分才結束，而地點離家有一個鐘頭的距離，那麼，我們會把平常的九點半，延至十點半。

我們也要求孩子若不能在規定時間內回家，一定要先打電話說一聲。如果是長途電話，我們叫他們打我們付費的電話，總之他們就是得設法與我們聯繫。就我記憶所及，還不曾有那一次他們晚了，又有電話可用，卻不打電話回家的。

我們也讓孩子在其他方面幫忙制定家規。能看到大一點的孩子要求弟妹遵守某些家規，實在是很令父母欣慰的事，因為他們看到了那些家規的價值。我曾聽到大孩子們對小的說：「你可能覺得那個行不通，但是當爸媽為我做了那件事的時候……」有甚麼比這種見證更好呢？所以我們平常就應留意自己如何行事為人。

另外，還要極力維護孩子的自尊。沒有人喜歡跟史達林或希特勒住在一起，誰也不會願意在大庭廣眾之下遭難堪之後還得聽命。如果在講道時要用孩子們為例子，我一定先徵求他們同意；如果在書中提到他們，我也會讓他們先過目，並取得他們的許可。

厲行家規的果效是，孩子們變得很仰慕我們。我曾問他們，有

時在餐館中,有人走過來與我談話,他們會不會覺得很煩?他們說是有點煩,但卻也深感榮幸,覺得與有榮焉。他們能這麼想,真是太棒了!

青少年孩子的確想知道規範何在,他們也想要目睹家規付諸實行。而由長遠來看,這將會帶出好的果效,而我們也會享受到心靈的喜悅。

與本段有關文字

第五冊第一章　如何讓孩子順服?
第五冊第一章　制定規則或任其反叛?
第五冊第二章　管教原則是否一致?
第五冊第二章　管教與懲罰的差別

你不可能打破我愛的圓圈
■畢爾士
Gil Beers

我從老大凱茜就開始使用愛的圓圈。正如所有關心孩子的父母一樣,內人與我滿懷恐懼,戰兢邁進老大的青少年期,因我們聽過許多眾所周知,令人擔憂的青少年問題。但等到老二、老三、老四或老五進入青少年期時,我們就知道關於青少年的事,哪些該相信,哪些不該相信。但是當老大進入青少年期時,我們心中實在很害怕。

我們不可能陪著孩子到每個地方去(儘管我們想!);也不可能鎖上門了事;更不可能設下偵探網,防止孩子誤入險境。

於是你我開始憂心,因為憂心,於是我們禱告。有時那就夠了,有時又不夠。

許多年過去,當孩子二十來歲後,會與父母比較親近,有時也會和我們分享他們青少年時期的掙扎,我才知道原來某些提醒還蠻有用的。

「記得你所提的那愛的圓圈嗎?」有一

天凱茜問我。當然記得啦！我曾經好幾次把她畫在一個愛的圓圈內。在她青少年期時，我告訴她：「我畫了一個愛的圓圈，把你圈在裏面。我不能時時在妳身旁，防止妳做些可能會使妳媽及我傷心的事。但是爸的愛會像是一個圓圈環繞著你，若妳受引誘要做不該做的事，你就會撞到那愛的圓圈，而受到攔阻。」

「那真管用！」凱茜告訴我：「好幾次我都一頭撞在那圓圈上，但知道爸的愛在那裏，使我不致走出界。」

我們的主也把我們每個人都圈在祂愛的圓圈裏。在那圓圈之內，我們自由地成長，自在地活動。但是當我們被引誘走偏時，祂那愛的膀臂就在那裏攔阻著我們。

青少年也是人——你是否如此待他們？

■歐德蘭夫婦　Ray & Anne Ortlund

我們第一個孩子要出生前，我的岳父教導我們如何為人父母。「要真誠地把孩子當人看。」他說。

但有時候我們卻會忘記。有一次我們上館子，正在點菜時，芮兒告訴女侍說，他要熱狗。我們說：「芮兒，我想你該點些比較有營養的東西。」但是女侍卻寫下「熱狗」，就走開了。芮兒以敬畏又高興的眼神目送她，說：「嘿！她竟把我講的話當作一回事！」

如果我們能對待孩子如同對待同事，或其他大人一樣，並且盡量常常如此做的話，他們就會開始看自己是成熟有責任感的人。更何況他們大概也不會因為吃太多熱狗而脹死！

在孩子可信任的地方，我們應特意地、公開地信任他，這一點

是很重要的。過去這些年來，我們夫婦盡量如此對待自己四個孩子。有許多我們原本可以自己解決的事，我們特地向他們請教或請他們幫忙。有時，我們特意倚賴他們；他們表現好時，就稱讚他們；也向他們吐露一些心中的憂慮，並請他們代禱。我們試著對待他們像自己的朋友，以熟識、親愛、信任的態度來對待他們。

有時候，年輕人對信任的看法，可能與大人不同，我們孩子偶爾也會如此！有些年輕人似乎認為，所謂被信任，就是允許他們去任何地方，做任何想做的事，並且只要高興，可以通宵達旦。然而這不是真的信任，而是放任。孩子們需要學習信賴我們，和我們所定的規則，正如我們需要學習去信任他們一樣。

芮兒有一天很晚才回來。外子沒睡等門。他進門時，告訴外子說，那天有件事令他很失望，所以跑去海邊，望著星空沉思。

「當你一個人在那裏時，」外子問道：「你有沒有想過我們會擔心？」

「有，」他回答：「我試過打電話，但是公共電話壞了。所以我就不管了。」

外子告訴他，他要一個人獨處，想辦法解決自己的問題是可以的，但卻不應那麼晚回來，因為我們不知道他身在何處。他的反應是：「爸，你不信任我。」

外子說：「你看！你這麼晚一個人在外，沒有人知道你在那裏，所有可能發生的可怕事情我們都想過了。我們想像你在高速公路上被撞，受了傷，無法求救。我相信你不是在外面狂歡，但是你卻沒有對我們表示信任，把事情告訴我們，好讓我們能夠放心。」芮兒必須學習，信任是雙方面的事。我想他後來是明白了。

另一個可以讓孩子覺得你尊重他們的方法，就是在向朋友介紹他們時，帶著尊重。父母若能明顯地表現出以他們為樂的樣子是很好的。

我們的大女兒雪莉已經三十六歲了，與她丈夫一同投身在宣教工作上。她是個很有活力，又細心的退修會講員。她現在仍愛談高中畢業那年，到東岸找祖父母的故事。她祖母帶著她挨家挨戶去見她每個朋友。顯然地，是在炫耀她。雪莉很難忘懷那種知道祖母的

確以她為傲的感受。

其實父母親也應如此。當我們和朋友在一起時,別把孩子擺在一角,任他們自個兒讀書或看電視。請他們過來,對我們的朋友說:「我想介紹你們認識我的兒子或女兒。」這麼做對孩子意義非凡。

另外一個方法,相信也能幫助孩子們知道我們對他們的信任,就是讓他們每一個人在高中畢業後,單獨外出旅行一次。雪莉存夠了錢,參加學校老師所組到歐洲的旅行團。芮兒到南美與宣教士一同服事一陣。瑪琪則到東岸旅行,適逢飛行員罷工,只好自行想法子如何乘坐火車及巴士。我們覺得孩子已經夠大,可以做這些事。

我們也試著在孩子們拿到駕駛執照時,向他們表達我們對他們的信任,讓他們與我們一起使用車子。當然我們會訂出規則,並且在背後拼命禱告。只要他們遵守規則,我們就會多讓他們用車。

當然,規則所包涵的,並不只是如何處理車子而已。如果兒子

信靠與順服
■青年歸主編輯室

養育孩子,有時得信靠,有時得順服。而運用這兩種方式所需的時間,往往比我們所願擺上的為長。其結果或者無法立竿見影,但是在我們等候期間,可能需謹記以下幾點:

如果我們信任孩子,卻又看不到果效,或許我們得自問:「我是否在某些方面需要更順服主,並且更進一步地跟隨主?」

另一方面,如果我們已經順服了主,卻仍未看見果效,或許我們需要在安息中學習信靠主,直到祂帶給我們更進一步的亮光。

讓神按著祂對宇宙的計畫做祂要做的工作;同時也要確知自己已盡上了本分。不要求神做你該做的事,也絕不要去做只有神才能做的事。

們去約會，就要對女孩子的父母守諾言，一定在約定時間內送她回家。他們只能去原先說好要去的地方，並且要對女孩子有禮貌，我們相信他們會照著規矩行事。

巴德唸完高中的那個暑假，必須考慮上哪個大學。到了八月，他仍作不了決定，而我們卻必須出發去領一個退修會。如果他在我們離去後才作決定，就必須自行整理行李，且在我們回來之前離家上大學。

我們對他說：「我們信任你能作這個決定。我們為你禱告，希望無論你如何決定，都會是神的旨意。」我們抱抱他，然後就走了。果然沒錯，等我們回來時，他已去了大學。重要的是，我們在一個影響他一生的重大決定上信得過他。這並不容易，但還能怎麼樣呢？我們有時總得放下手中的韁繩。這對他、對我們都有好處。

但另有一點也很重要，我們必須分得出哪些事是可以全然信任孩子，哪些又不可以。例如，女兒瑪琪外出約會，回來後，與男朋友在車道上，坐在車裏將近一個小時。她進門後，外子告訴她：「以後不准再這樣了。如果你們要談話，進屋裏談，不要坐在車裏。」

瑪琪說：「爸，你不相信我？」

外子回答說：「如果我是你這個年紀，我都不會信任自己能跟一個那麼令我動心的人在車中坐那麼久，為甚麼我要相信你呢？我們都是有血有肉的人，沒有必要自找麻煩。」

外子並沒有暗示她比爸爸更不可信任。只是把自己放到她的位子上來想，這樣她就能接受他的責備，卻又同時保持了她的尊嚴。

所以作一個青少年孩子之父母，最大的一個挑戰，就是知道在甚麼事上應信任他們，甚麼情況下卻不能。而每個孩子可信任的事都不同，即使是同一屋簷下的兄弟姊妹也不相同。但更重要的是應把不可信任的事減到最低程度，除非必要，否則不要提起那些事。而他們所能被信任的方面，則應公開地談。總之，要讓他們覺得我們對他們有信心（在許多重要的方面，他們都是可信任的），但也不要忘記在必要時悄悄地提出一些非常重要的警告。

身為父母，你是青少年孩子在世上的最高權威。沒有人比你更

認識他們。你從他們襁褓中看著他們長大；你知道他們的長處及短處；你知道他們可能會被甚麼樣的試探所引誘，即使別人並不受此誘惑。你夠了解自己孩子，而你的經驗也足以讓你能正確地分辨何為可信地帶，何為危險地帶。

常常為這些事禱告。

儘可能強調他們可信任的部分。

然後，在神的幫助下，年復一年，他們將會成長得更值得你信任。

與本段有關文字

第三冊第二章　彼此尊重
第五冊第三章　何時可以信任自己的青少年孩子？
第五冊第三章　此一時也，彼一時也
第五冊第四章　裝備孩子離家獨立

有彈性卻不妥協

■薛立　Marshall Shelley

有時候作父母真是很為難。比方說，如果你的女兒要與一個眾所周知的吸毒者約會，如何能夠堅持你的原則，而又不破壞與女兒之間的關係呢？

第一件該做卻也是最難做的事，就是得決定哪些是你的絕對標準，而哪些又是有商量餘地的。

可能有些事情是屬於你會絕對禁止的範圍，甚至為堅持原則而不惜失去兒子或女兒。你對這種事的答覆是：「絕對不行，在我家門之內就是不行，如果你堅持非如此做不可，那麼你就自己靠自己去吧……。」這種方式的毛病是，它有如一顆核彈，威力強大，你也只敢使用一次。如果反覆地以之要脅，你們之間的關係就要瓦解了。

但有時你又必須說:「我不喜歡你這樣做,相信你也知道為甚麼,但是我仍尊重你有權利做你想做的事。雖然這並不影響我對你的愛,但是卻讓我非常不開心!」

介於以上兩者之間,有許多你可能被迫講條件的情況。「如果你再犯一次,就兩個星期不准用車。」或是「除非成績提高到乙下,否則就不准開電視。」

然而我們又如何能知道對哪一種行為該採取哪一種反應呢?我但願世間有簡單的解答,但實則沒有。每對父母都得自行訂下限度。不同的父母,限度就不同。但重要的是,父母兩人必須站在同一陣線上來對待子女。兩人一起作出錯誤的決定,遠比告訴孩子兩個不同的答案要好。

就我個人而言,在黑白不是很清楚的情況下,我寧可該罰而沒罰,而不願冒險破壞了我與孩子間的關係。神有辦法將迷失的羊帶回祂身邊。我們作父母的責任,乃是讓孩子們知道我們的期望,並幫助他們,鼓勵他們,表現出對他們的信任。那種尊重孩子能作決定的精神及氣氛,應在他們孩童時期就開始培養,且最好能繼續下

亦父亦友
■麥肯納
David L. McKenna

既要作孩子的朋友,又要能保持身為父母的適度權威及管教角色,個中的平衡確實很微妙。青少年孩子一方面很想獨立,但另一方面又需要有人來管理他們的生活。

當兩者似乎無法並存時,父母應有魄力出面解決問題。在想解決問題時,父母在該講話時應盡量講,一旦發現自己的要求並不合理時,就應保持緘默。父母常常會把問題演變成針對個人的爭論,其實應盡量設法找出真正問題之所在。

要常常關心自己的青少年孩子,讓他知道他可以隨時找我們談。但父母也的確有權柄管孩子,青少年們應尊重這樣的權柄。

去，直到他們成年。

父母最應學習的兩個功課，就是小心聆聽及避免遽下斷語。當孩子提出個意外的要求，而讓我們很不自在時，我們最大的陷阱就是會馬上下斷語。其實最聰明的決定，乃是不作任何決定（至少不在當時立刻作決定）。花點時間週詳考慮，也叫孩子幫助你把好處、壞處都想透徹。這樣做，不但不會影響你作決定的能力，往往還利多於弊呢！

父母不必放棄自己的領導地位。青少年孩子需要父母的引導，而且是基於了解與謙卑的引導。

與本段有關文字
第五冊第二章　管教：家庭的朋友或敵人？
第五冊第四章　孩子應對他的選擇負責

青少年如何利用父母的歉疚感來達到目的？

■麥肯納　David L. McKenna

青少年孩子懂得如何利用父母歉疚的心理來達到目的，例如利用父母的同情心，讓他們覺得自己虧待了孩子。而父母為了彌補虧欠，通常就會對孩子的要求妥協，以求消弭心中的歉疚。

比方說，我的兒子想去聽搖滾音樂會。當我們討論這件事時，他擺出一副自我防衛的姿態，辯論說，我們若沒有從西雅圖搬到肯塔基州，我就一定會讓他去。他的論點是，在西雅圖那個大城市中，他比較可以自由活動；而在目前我們住的這個小鄉鎮，交通很不方便，而這也就是為甚麼他會遭到這種不公平待遇的原因。

我的兒子被迫離開他的朋友及所讀的基督教高中，搬到這個新的社區，又進了一般性的公立學校。他為了「懲罰」我，於是翻出最令我難過的舊事。他把這筆爛帳保留著，伺機而用，為要耍弄我

的同情心。

他知道我因搬家影響到他的生活,心中感到歉疚,因此他很快地也曉得如何利用我的這個弱點來達到任何目的,因為爸爸心中很內疚。所幸,不久我就察覺到自己的確採用獎賞的方法來賄賂孩子接納我們搬家的事實,他也因我的懊喪而獲利。

一旦看出他對去搖滾音樂會所持的態度是他另一次的操縱手段時,我就必須告訴他說:「這與搬來肯塔基州完全無關。在西雅圖時,我們也討論過同樣的問題呀!」我與他當面對質。

我兒子的朋友也要求父母讓他去同一個搖滾音樂會。只是他所用的策略稍有不同。他告訴他父母,如果他們不讓他去,就表示他們不愛他。這是另一個叫父母心痛的地方,是另一種對不讓步父母所施的懲罰。

青少年孩子知道如何利用父母的歉疚感去達成某個目標,或得到某樣東西,因此父母應先弄清楚情況,然後當面對質,將事情談清楚。

與本段有關文字
第一冊第三章　面對罪惡感
第一冊第三章　勝過罪惡感
第五冊第一章　是誰佔誰的便宜?

你是否寵壞了你的青少年孩子?

■費爾蒙　David Veerman

典型的「寵壞症候群」是這樣的,比方說,你會看到一個七歲的小傢伙在玩具店大發脾氣,或是十歲的小男孩在生日會上,詢問禮物的價值。但是,是否只有小孩子才會被寵壞呢?字典對「寵」字的解釋是,「因放縱而作過分的要求」。很顯然的,寵壞是沒有年齡限制的。

美國的高中生可說是「寵壞了的孩子」的典型代表。個人的需求和揮霍無度是他們生活的寫照。七十年代，我們看到「我、我、我」的一代。我們周遭充斥著那些在「唯我獨尊」物質主義環境下長大的縱情逸樂的小大人。

與其責難過去的寵溺或為今日而悲嘆，父母應看看，到底怎麼做才能避免寵壞自己的青少年孩子（或做及時的補救）？這是很重要的問題，因為不用多久，孩子就要離家，進入世界了。我們當然不要社會上再多添一些自我中心的大人。我們該做的第一步，就是找出潛在的（或真正的）肇因，然後才能對症下藥。

寵壞孩子的主要肇因之一，乃是出自寵壞了的父母。換句話說，我們可能自己立下壞的榜樣，縱情逸樂，花錢求舒適，享美食，穿華服，身邊堆滿了各樣的大人玩具，孩子們就有樣學樣。針對這點，我們得先不要「寵壞自己」，適度的「自我犧牲」會帶來美妙的果效。

寵孩子最自然的過程就是讓他們對生命產生一種錯誤的觀念：認為疼痛是例外，應不計代價地避免。許多年輕人都有這種偏見。畢竟，從他們出生到大學畢業，生活所需都有人供應，年輕人精力旺盛，尚不知何謂體力衰退。難怪他們會只企求快樂及個人舒適空間。針對這點，惟一的對策乃是年紀（亦即經驗）；但除此之外，我們仍能提供有助益的良藥：我們可以打開自己的「生命檔案」，讓他們看到事情的另一面，好擴大他們的眼界，這意味著我們應與他們分享一些自己內心世界真實的掙扎。太多時候我們把問題遮掩起來，不想增加孩子的心理負擔。當然我不是說，要把所有的重擔都卸給他們，那可能會造成傷害，但是我們可以打開個縫隙，讓他們看看我們的內心。與他們一起禱告也能使他們警覺到現實的存在。

另一個寵溺的因素就是金錢。許多青少年因著自己的需要，或父母的要求，而被迫去找半時間的工作。如果是為了教導他們如何處理金錢，這些工作還有意義。但結果常常相反。薪水常被當作是「我的」錢，所以花錢如流水。更常常牽扯的一個問題就是車子，為了「工作」他們要求買車，然後為了供養車子而工作。比較具建

設性的作法，乃是與他們一起「工作」。准許他們找有報酬的工作，然後擬出收支預算，包括有計畫的儲蓄。不要將錢投資在買車上，不如大家合作，共同使用家庭用車。

找出這些寵壞青少年的因素後，我們才能採取行動，避免寵壞他們，並且及時加以矯正。除此之外，還有如下的建議：

- 在必要時繼續管教他們，而且管教的方式與管教較年幼的子女應有所不同。
- 鼓勵他們以巧思創意贈禮物給家人或朋友，例如自己設計卡片，或是送「省錢」的禮物等。
- 帶家人去老人院報佳音，花些時間跟那些老人談話，向他們請教生命的問題。回家以後，大家可以分享心得。
- 假期中，可以計畫全家人向自己社區提供勞動服務。例如粉刷教堂，為老人整修房子，或分送食物等等。
- 開放家庭接待宣教士，外國學生等，這樣可以接觸更廣闊的世界觀，以及學習過願意犧牲的生活方式。
- 務必教導什一奉獻。

是誰佔誰的便宜？──親子間彼此操縱的手段

■麥肯納　David L. McKenna

我想我們都是有操縱慾的人，父母與青少年都不例外，雙方都想以操縱對方來達到目的。有時是下意識的，但我們若意識到這種情形時，就應認清並予以糾正。

父母兒女間互相操縱最普通的方法，包括了「堆爛帳」，威脅孩子停享某種權利，及獎賞制度等。

所謂「堆爛帳」法，就是把許多破銅爛鐵的事收藏起來，待將來伺機而用。如果發生了某件芝麻小事，就揭開垃圾桶的蓋子，翻箱倒櫃地找出些臭事，丟在對方面前，而通常這些都是最令對方心痛的事。因為這些爛帳的惡臭，受害者通常會棄甲曳兵，而讓翻爛

帳的人得逞。

父母通常在使用「停享權利」或「獎賞」的方法上較佔優勢。這兩個老法子用在權力抗爭時最有效。而孩子也略懂使用前者，例如，威脅不再愛父母等。

獎賞可能是父母可用的最好方法。這就好像在馬面前吊個蘋果，好讓牠繼續耕田一樣；父母也可答應給孩子一項大禮物，好叫他做某件事。有時候這樣做，可以發揮鼓舞作用，但這卻常常變成一種操縱。

操縱其實是迫害方式中的一種，因為剝奪或限制了對方的自由意志。韋氏字典對操縱所下的定義是，「以巧妙或不公平的方法來控制或玩弄對方，以達成自己的利益」。

如果你察覺到以上所提的任何手段，你就是在被人操縱了。如果家中有人開始提一些陳年往事（爛帳），似乎是與目前的事無關的，那麼他就是想要你同情他的論點，而來操縱你。或者假如有人威脅剝奪你的某種特權，或突然用獎賞來動搖你的立場，那麼你就得想想，是否他是想要操縱你。

與本段有關文字

第三冊第二章　誠實是惟一之策
第三冊第二章　彼此尊重
第五冊第一章　如何避免權力抗爭？
第五冊第一章　青少年如何利用父母的歉疚感來達到目的？
第七冊第一章　小心！孩子可以讓你對他有求必應

你是否正在遭人操縱？

■柏士奇
Tom Perski

青少年期是擴展視野及成長為獨立個體的好時機，然而幼年期的安全感卻仍是青少年很需要的，這兩種需求的拉鋸戰在青少年孩子的生活中一直存在。

多半來說，如果讓孩子清楚明白規則的界線何在，他們心中就會有基本的安全感。

但是明白這些界線與順從與否可能就是兩回事。當然，規則並不一定會公然遭我們所謂的「叛逆」挑戰。有時候，操縱是以不明顯的反叛姿態出現的，為要悄悄地迫使父母放寬限度。

操縱聽起來似乎是頗具機心的行徑，實則不然。不斷地向人要點小恩惠，可能是為了要贏得對方的好感。對方也可以藉著說：「對不起，我不是有意的。」而使你軟化下來。向你滔滔地講述當天情形有多棒（亦即：一切都太棒了，我還要再去！），可能是要引起你對某個主意的重視，免得被否決。

下列是審視一下自己是否被操縱的一些原則：

1. 如果你聽煩了某個被一而再，再而三地提及的話題，就要開始小心了。

2. 如果你覺得自己一直要討價還價、妥協，並覺得急躁時，那麼你正在經歷考驗。

3. 如果看到媽不同意爸的看法，哥哥反對弟弟的意見等等，那麼就是規則受到了挑戰。

4. 如果媽媽掌握管教大權，沒得商量，那你正在接受考驗。

要記得，惟一積極的解決方法，就是將你的期望，規則以及處罰都列清楚，並且前後一致。

第二章

管教治家

- 如何管教孩子而不疏遠他們？
- 管教青少年有哪些方法？
- 父母能從神那裏學到管教的模式嗎？
- 禁足——有效嗎？
- 管教與懲戒有何不同？
- 管教原則是否一致？
- 管教青年與少年有無不同？

　　就其終極意義來說，管教其實是自由之友。一個人若不懂得節制自己，就不會有自由。管教能使我們的生命達到最豐盛之境。如果我們能讓家人明白這點，那麼管教就不致成為可怕的負擔了。

　　不論我們是談那方面的管教：或是要孩子準時上床，隔天才能有精神做事；或是把家事處理完，才能一起去滑水等，我們都應教導孩子，管教是為他們好，也是為我們好。

　　當然，有時候管教是很痛苦的。孩子很難相信所謂的「打在兒身，痛在娘心」。但等到他們有了自己的兒女時，就會明白。

要管教

■魏斯比　Warren W. Wiersbe

「管教」一詞常常給人不好的印象。大家只要一想到管教，就覺得是懲罰。但是，至少在聖經裏，它完全不是這個意思。在希伯來文及希臘文中，我們譯為「管教」的這個字，實際上是訓練或教育的意思。管教可能是藉著話語，行為或是環境來進行，但其目的不外都是要使人漸趨成熟。

希伯來書第十二章是新約聖經中論及管教的一段重要經文。即使在那章內，當作者談到管教的苦楚時，其目的也不在於懲罰、伸張正義或是維持權柄，神的目的乃在於使孩子能長大成熟。這也應成為我們管教的目標。

成熟，就是孩子了解自己、接納自己、節制自己，並且能有創意、有建設性地運用自己所是及所有的一切。

首先，我們家對管教的看法乃是認為，它較應是一種心態或氣氛，而不只是一種行動而已。許多父母不能管教孩子的原因，乃是因為他們無法約束或管教自己。我見過許多父母不清理桌子，不修邊幅，本身就是很邋遢的人。他們叫罵自己的孩子，卻一點用處都沒有。誠如杜博生（James Dobson）博士所指出的，如果孩子在父母生活中找到沒有紀律之處，他們就會拿來作為要脅。如果父母缺乏管教的心態及氣氛，那麼光有行動也是起不了甚麼作用的。

第二點，我們認為管教不只是運用權柄而已，而是意味著我們自己也服在權柄之下。我們不能要求尊敬，只能贏得尊敬。而那是要靠自己的性格和榜樣去贏得的。

第三，管教是個工具，而非武器。如果你養育過孩子，你就會發覺，常常我們的管教是在發洩怒氣或懊惱。管教應是用來表達愛，而不是怒氣。神就是如此，祂所愛的祂必管教。如果孩子們覺得必須贏得我們的愛，那麼我們就有問題了。相反的，他們應看到，管教是我們愛他們的證據，是幫助他們長大的工具。

第四，管教是個過程，而非危機。即使不是每次都能做到，但

我們的確應盡量避免在氣頭上去管教孩子。在危機中的管教，既難保持一致，又會令人困惑。管教孩子最需要的，是經常地在愛中琢磨，並以愛心說誠實話。

這些是我們嘗試在孩子身上所使用的原則，結果似乎有效（雖然偶爾我們會失敗）。每個孩子都不同。例如，對這個孩子，只要瞪一眼，她就哭了；而另一個，拿根木頭打，他仍紋絲不動。我們得找出每個孩子的習性（痛癢關鍵）。方法很多：話語、誇獎、獎勵等。同時，不要低估了屬靈上神的話語及禱告的效用。

孩子愈長，管教的方法自然應隨著改變。兒子十五、六歲時，

建立穩固的根基
■柏金斯
John Perkins

對青少年孩子的管教，如果沒有從小立下穩固的根基，父母可預期要面對的抗爭之一，就是信仰方面的問題。沒有被管教好的孩子就無法相信他的父母。管教會帶來信賴及尊敬；沒有管教，孩子就不會信賴父母的價值觀或信仰，也就無法尊重他們的看法。

若要使青少年孩子感到被愛，管教是很重要的。事實上，管教是愛的果子。有些家庭，父母不會表達感情，也缺乏在言語上的肯定；但孩子會從他們的管教中感受到愛。我不是指規則，而是那種能令孩子生出敬畏之心的嚴厲。我聽過不少年輕人說，他們父親從來不曾帶他們去任何地方，但是他們很愛父親，因為父親很嚴格，而兒子們知道那是出於愛。沒有愛的管教是不會有果效的。愛可以是隱藏的，卻不可不在。

在這方面給我幫助最多的，就是我的繼舅。我很怕他。我不記得他打過我，當然我也不希望他打我。他很少表達愛，可他卻給我一種必須尊重他的感覺。

個子比我還大,打屁股已經沒用了。於是我們禱告,盼望他們不是因為怕爸爸傷到他們,而是因為害怕傷害到爸爸而順服。這兩者是有很大差別的。

當然,我們仍得想法子糾正他們的行為。我們發現效果最好的方法就是使他們暫停享受他們喜歡的事物。但重要的是,別臨時起意教他措手不及。我們盡量事先將條件講清楚——「如果你做這個,就會得到那個。」我們也盡量遵守自己所有的諾言。

雖然如此,父母也還應該有點彈性。我想,神的管教也是有彈性的。祂知道我們需要多少,也知道我們的動機、掙扎及軟弱。身為父母,我未必有那樣的知識,因此就不應假扮神的角色。陶恕(A. W. Tozer)博士說過:「神並不難相處。」這話給我很大的幫助。神的標準及要求很高,但祂從不吝於協助。我也願成為一個這樣的父親。

我們沒有多少家規,有的話也是在孩子還小時就已定下的:不要走近高速公路,不要讓後門開著,免得小嬰兒跌下樓梯。等他們長大一點,我們就以恩慈、憐憫、真理與慈愛來養育他們,正如天父教養祂的兒女一樣。

如果我在管教的事上犯錯,我情願是在寬恕方面的錯誤。有幾次,我可能應責打孩子而未做。在聽兒子講道的時候,我才發現一些我以前所不知道的事。他以他青少年時的一些故事來舉例,而我會說:「我以前怎麼不知道啊!」但是他們似乎也還是走過來了。

另一方面,有些時候我們也曾錯怪了孩子。事後才發覺事情的真相。幸好,因為有愛、有坦誠、誠實及情趣,孩子們也就能熬過那些不公義、受委曲的時候。

噢,對了,有點幽默感也是蠻有幫助的喔!

與本段有關的文字
第一冊第一章 聖經對父母的期望是甚麼?
第五冊第二章 管教:家庭的朋友或敵人?
第六冊第三章 「為甚麼是我的孩子?」

管教與懲罰的差別

■麥當諾　Gordon MacDonald

當我寫「成功的父親」（The Effective Father）一書時，有一章論到管教與懲罰，我特別為它們下了實用的定義。按我的看法，管教是特意在你與孩子之間，製造出一種緊張的情勢，好讓他們能夠成長學習。管教是給他們任務去學習，強化自己，並幫助他們成熟。管教也是逼他們去面對他們必須對付的痛苦問題。教練在比賽前領著隊員所經過的一切訓練就是管教。

事關公義

懲罰是關乎公義的一件事，亦即針對某種觸犯家規或生活公約的行為所採的行動。孩子小時，懲罰多半是人為的，好比打屁股。我們製造出痛苦，並希望疼痛的輕重與孩子所做錯事的嚴重程度相當，使孩子知道其間的關係。等孩子大一點時，就從這種人為的痛苦改為其他特定，可衡量後果的方式。

對青少年來說，典型的處罰就是禁足，這對他們是相當嚴重的事。若對一個三歲小孩採取禁足，那顯然是不會有甚麼效果的。父母所採取的懲罰方式必須與違規之事相稱，這一點是很重要的，這樣孩子對所犯之事的嚴重性，才會印象深刻，從此作為警戒。大部分的父母不是罰得太重，就是罰得太輕。因此孩子要不是覺得處罰過於所當受的，就是覺得做錯事的代價也不過如此而已！

最糟糕的，就是父母對處罰一事漫不經心。父母或許會對孩子說：「十一點一定要回來，要不然你看著好了。」這種說法的第一個毛病是，沒有說清楚究竟「要不然」會如何。第二個毛病則在於，父母應該永遠不需要對孩子說「要不然」。如果在孩子尚小時，父母管教懲罰得當的話，孩子大了就比較不會遲歸。

定義之爭

當孩子回家後，可能會反問父母：「你到底是說十一點正，還是十一點左右？」青少年孩子會一直逼父母，他們也可能會說：

「你說的是十一點嘛。現在雖然已經是十一點零九分了,可是我們的確是十一點正離開餐廳的。」或是說:「我們已經上路了,但路上塞車。」這麼一來,父母就得為下定義而頭痛。最聰明的作法,就是早在事情可能發生之前,就訂出明確清晰可行的規則,讓大家都毫無疑問。

我不是對孩子說:「十一點一定得到家,沒有討價還價的餘地。」而是說:「若會遲回家,十一點一定得給爸打個電話。」這並非不合情理,因為到處都有電話可打。如果開始有問題了,我會和女兒坐下來談:「爸注意到你已經一連三次打電話回家說會遲回來。聽起來好像你沒有把事情計畫好,爸倒不在意你偶爾一兩次遲歸,但一連三次就很難接受了。好好約束一下自己吧!」

往前看

父母需要一直往前看,試著找出事情可能發展方向的跡象與型態,而提早制定規則。聽起來好像有點吹牛,但是我真的記不得上一次處罰孩子是甚麼時候。我們與兩個孩子在九歲以前就已建立起彼此的默契,因此到了青少年期時,他們就不曾違背過我們。

有幾次孩子沒有照著我所說的去做,但那通常都是因我的錯而產生無可避免的誤會。當然我們仍然有些每個家庭都會有的小問題。例如內人說:「克麗絲蒂,請你擦桌子好嗎?」她會說:「好啊,等一下。」然後她下樓,就把那事給忘了,三小時之後,桌子仍然沒擦。但是在我們家從來不曾有惡意犯規的事。在孩子們十歲以前,他們已從家庭生活中了解,父母是說話算話的人。

管教是激發潛能及建造

管教乃是製造情勢來漸漸激發並建造孩子,好讓他們能夠面對困難的情形。舉個例來說:兒子剛拿到駕照一個禮拜,就想在禮拜五晚上,開車帶女朋友到市區去玩。但通常在禮拜五晚上,市區裏交通最為擁擠,開車進城絕對不是明智之舉。

我第一個反應,就是想脫口而出:「休想我會答應!」但我決定還是不要馬上回答,而改口說:「這樣吧,爸爸大約需要三小時來考慮這件事。」很重要的是準確地說出多少時間,而不是說「過

一陣子再說吧」。不確定的時間會給年輕人帶來不必要的焦躁。但是如果你說三個小時,那麼,大家都會安下心來。

三個小時後,我說:「兒子啊,這樣吧!禮拜五晚上車子可以交給你,但是有個條件。禮拜四晚上,我們一起走一趟你約會的路線,就把我當作那女孩好了。我可以假想任何你約會時有可能發生的情況,要求你處理。這樣可以吧?」他同意了。

禮拜四晚上,在他禮拜五約會的同一時間,我們開車上了高速公路,朝城內駛去。突然,我說:「兒子啊!你的右前輪爆胎了。」

他說:「沒有哇!」

「有啊!可記得我說過,我有權製造任何情況嗎?」

「好吧,那你要我做甚麼呢?」

「爆胎時,就應把車子開到一邊,換個輪胎。現在就這麼做吧!」於是他把車子開到路邊,下了車,不能相信我竟然要他做這些事,但我又重說了一次:「換輪胎!」於是他只好趴到車子底下,找千斤頂及輪胎,而我就坐在路旁的欄杆上看著。

幾分鐘後,他還是找不到千斤頂,他問我:「千斤頂在那裏?」

「兒子啊!爸爸不在這裏,我是那女孩,記得嗎?」於是他只好再去找,足足找了十五分鐘,終於找到藏千斤頂的地方——在車蓋下面。等他把車子用千斤頂頂起來後,我沒讓他換輪胎就把車子放下來了。但現在他知道怎麼做了。

等我們的車子開到進城的那個出口的斜坡上時。我說:「對不起,前面正在修路,此出口暫時封閉。」因此,他不得不另找一條路出去。回程時,我又假設車子引擎拋錨。這時他該考慮的問題就是:「該把女孩子留在車中,自己去求救呢?還是等警察來?」

我藉著幫助兒子學習處理一連串的緊張狀況來操練他。第二天晚上,他已經知道碰上難題怎麼辦,因此心情篤定多了。這就是我所謂的管教。

管教的攔阻

許多父母在生活中安排了太多的事,因此對孩子只能作被動式的應變。大部分父母把生活塞得滿滿的,一心只想建立事業;因此

在孩子可塑性最高時,卻把自己大多數時間花在工作上。有些父親兼兩份工作,而母親也在追求自己的事業。

父母也有可能是被各種娛樂、嗜好佔據了所有時間,然後只在這一切忙碌的夾縫中所剩餘的片刻閒暇裏,才試著去注意一下孩子有甚麼難處,但這樣子是不可能建立起一個健全的生活形態的。

當我們的孩子仍在襁褓中時,內人與我就已定意要將養育孩子當作是我們的第一要事。孩子們尚小時,我們之間總有一個在家。現在孩子們長大了,內人開始享受生命的新階段——旅行、演講、寫作。人家看到她,總是豔羨她所做的這一切,卻不知在過去十年間,她把百分之九十的時間都給了孩子。當孩子們在家時,她總是在他們身旁。

直到孩子們上了高中,自己開車了,也開始必須多花時間在自己的活動上時,內人參與家庭以外活動的機會才漸漸增加。等孩子們離了巢,她從另一角度發現了許多足可令她做不完的事。但孩子們若需要她,她也絕對有時間留給他們。現代許多父母只把孩子當作待做之事中的一項,因此危害了親子間的關係。這樣做根本是行不通的。

教會往往也是攔阻父母花時間好好管教孩子的另一個障礙。大部分的教會,幾乎是用盡了所有有心服事的年輕基督徒的所有時間。許多人,只要教會的門一開,他們就到了,從週日到週六,天天晚上都有節目。對樂意事奉的弟兄,教會的事,不分大小,都請他幫忙。許多基督徒若不事奉就會有罪惡感;更何況他們根本不知道如何說不,甚至教會的請求也拒絕不了。但是,如果教會不合宜地侵犯了你們的家庭時間,那就是我們該向教會說不的時候。

對於那些不斷地夾在我們與孩子需要之間的東西,我們必須要學會拒絕,不論是我們的事業、娛樂、嗜好甚至教會活動。

與本段有關文字
第五冊第二章　管教:家庭的朋友或敵人?
第五冊第二章　何時應對青少年孩子處以禁足?

如何管教而不疏遠他們

■耿格爾　Kenneth O. Gangel

假想以下情節：一個毛頭小子剛被禁足了兩個星期，在那兩週內，他失去了看籃球校隊比賽的機會。該隊在兩次延長比賽時間之後贏得分組冠軍。然後在一次愉悅的談話氣氛中，孩子告訴父母：「這次的禁足好極了！我有充分的時間來反省一下自己在家中的角色。有這次的體驗真好，非常謝謝您們！」

我懷疑我們會從任何青少年孩子口中聽到這樣的話！比較可能的，是他心中充滿怨怒。每次處罰過後，父母和孩子之間多少都會產生一些疏遠感（至少會持續一段時間），這導致有些父母對管教裹足不前。在成年基督徒中事奉多年，我經常看到作父母的有逃避現實的毛病。他們雙手一甩，說：「不值得！讓孩子隨心所欲算了！但願他有一天會變好！」

儘管處罰後會帶來憤怒及疏遠，有智慧的父母知道自己是按著聖經的原則而行。他們知道，長遠來說，如果是出自愛心的適當懲罰，神會叫萬事互相效力。神對成熟基督徒的管教立下了榜樣：

「我們曾有生身的父管教我們，我們尚且敬重他；何況萬靈的父，我們豈不更當順服他得生麼？生身的父都是暫隨己意管教我們；惟有萬靈的父管教我們，是要我們得益處，使我們在他的聖潔上有分。凡管教的事，當時不覺得快樂，反覺得愁苦；後來卻為那經練過的人結出平安的果子，就是義。」（來十二：9～11）

在家庭的屬靈層次與屬世層面之間，有一種活潑的類似關係。希伯來書十二章末提到：「所以，你們要把下垂的手、發酸的腿挺起來；『也要為自己的腳，把道路修直了』，使瘸子不至歪腳，反得痊癒。」（來十二：12～13）

基本上，我相信作者的意思是：「那些負責管教與處罰的人，可能經常會受到試探，而想要退縮、罷工。但是應鍛鍊你那無力的手、軟弱的腿。培養人成熟是極費工夫的，你最好有心理準備。」

我們也應體認到處罰多少會帶來孩子的怨恨，有智慧的父母會

放眼看孩子的未來前途，而不是只顧眼前的不悅。如果處罰是必須的，就應當去做，但也要仔細衡量犯的是甚麼錯，然後再採取合宜的措施。

處罰應盡量是用來糾正不當的行為，「處罰應與罪行相當」。比方說，體罰無論輕重，若是用來處罰毛頭小子不肯做功課，可能就不會有甚麼果效。青少年孩子對時間的運用常有問題，因此應針對他在時間上的運用來糾正他。例如，不准看電視，或晚飯後不准與鄰居孩子去打籃球，可能才是直接針對那問題的方法。

若採取停享權利的方法，一定要就事論事地解決那問題，而不是對孩子個人攻擊。雖然孩子的行為必須糾正，但父母仍應持續向他提供愛的保證。定下檢討時間也是有必要的，但需清楚說明日期，而不是含糊地說「等你功課有進步時再說」之類的話。在所定的檢討時間臨到時，父母應著重在結果可評估的事情上，例如作業是否的確如期完成等。然後再按著改進的程度決定以後的方向，或是恢復權利，或是仍停享權利；不論結果如何，都應訂出明確的期限。

若是孩子不聽話，不但要按犯錯輕重來懲罰，同時也應由父母權威受到挑戰的那一位來施行懲罰。如果孩子在白天不聽母親的話，就不應等爸爸來處罰，儘管爸爸可能比較嚴厲。因為如果這麼做，就好像是說爸爸比媽媽有權威。所以如果是不聽媽媽的話，就應由媽媽來處罰。

有一件重要的事我們需謹記在心：父母被神託付來塑造生命，我們並不是在這裏比賽誰較有人緣。如果有人觸犯了家規，就應盡快去糾正。管教應是針對錯誤的行為而不是那個犯錯的人。即使因管教而導致孩子與我們疏遠，那怨懟也是會隨時間消逝的。

如果家人都明白家規的內容，訂定家規的原因，並且每個人都同意遵守時，那麼全家整個氣氛都會趨向順服了。若有家人偏離了這些準則，即需加以糾正，這是維繫家庭秩序很重要的一部分。

與本段有關文字

第五冊第一章　有彈性卻不妥協
第五冊第二章　管教原則是否一致？

第五冊第二章　管教與溝通
第五冊第二章　教導孩子為自己的行為負責

耳提面命
■青年歸主編輯室

「我叫你把那些東西打掃乾淨，但它們還在那兒！你到底是怎麼回事呀？」這話聽來是否很耳熟？其情節就是：你剛才叫你的青少年孩子去做某事，而他到現在都還沒做，所以就成了個大問題。但是事實上，通常這只不過是時間上的問題而已。也就是說，我們每次都要孩子立即去做，這樣公平嗎？

很可惜的，父母常常是在怒氣騰騰時去質問孩子。我們不喜歡在做其他事時被打斷，孩子也同樣不喜歡呀！

常常我們叫他做某些事，例如「把垃圾倒掉」，卻沒有說甚麼時候倒。也許這麼說會好一點：「吃完飯後，希望你能把垃圾倒掉。」或問「你甚麼時候會做？」

我們應當與孩子在該做的事上先訂下細則，彼此同意如何做、何時去做以及報酬如何等等，而他們就不會要等我們囉嗦了以後才去做。

同時很重要的是，不要以相同的方法對待每個孩子。我們需要考慮每個人有其不同之處。不同的家務事，需要不同的能力及力量，故需考慮到年紀、身材、力氣、性別等因素。至於例行的事，則可讓孩子們輪流做（男孩子也可以洗碗）。

最後，應讓他們知道，我們期望他們怎樣對這個家盡一分力；我們也應鼓勵他們提建議，並主動地去做事，而不要等我們叫。

管教原則是否一致?

■皮德生　J. Allan Petersen

　　父母對於管教孩子,應有一套計畫。在決定採取嚴厲、放任或介於兩者的作風之前,我們的第一步,應先決定目標為何。到底我們想把孩子訓練成甚麼樣子?

　　在我們家,我們試著以神為我們父母的模範,以祂對孩子的目標為我們教養孩子的目標,亦即有責任感、成熟、像基督等等。很重要的一點就是要體認到「人都要離開父母」。我們並不預備將孩子永遠留在身邊,我們預備他們有一天會離開我們。也就是說,我們必須培養他們獨立生活所需的正確價值觀及自信,然後他們才可能活出我們所示範的一切。

　　為要達到這個目的,父母雙方應在管教的方式上一致。我們應看到管教的範圍遠比懲罰為廣,它是訓練、教導,也是成長。

　　另外,我們應在孩子面前彼此支持。若在管教方面突然有不同的看法,父母應協議好,只有私下時才討論,才不會讓孩子在當中作怪,而使父母彼此對立。

　　合一而持守原則的管教,即使偶爾犯錯,也遠比在孩子面前貶低配偶來得好。那樣不只會破壞婚姻關係,也使孩子感到很困惑。

　　要達成有效率的管教,其中一個重點是,學習針對不良行為來管教,而非因我們被觸怒了才管教。如何做呢?試著不要在怒中管教。如果已經做了,事後要承認,並為自己的態度道歉說:「我錯了。我們剛剛所談的沒錯,我們也應採取行動,只是我的態度不對,不夠冷靜。對不起。」這是父母需要彼此支持的時候,如果自己正在氣頭上,最好讓配偶來處理當時的情形。

　　心理學家聶若摩 (Bruce Narramore) 指出,以神為父母的模範,可以對我們有許多幫助,他提出神如何管教祂頭兩個孩子亞當及夏娃的例子為示範。請注意神做事的次序:首先,祂供應他們的需要;然後給他們指示;之後才更正他們。我的做法往往正好相反:想都不想他們需要甚麼,便只顧糾正他們。

神在園中提供了亞當、夏娃肉體上的需要；從他倆彼此的關係中滿足社交的需要；從管理萬物中滿足了責任感的需要；並藉每日與他們同在，以滿足他們屬靈上的需要。祂在做任何事之前，總是先滿足了他們的需要。

在我們糾正孩子之前，也應先問問：「我是否滿足了他們對愛、歸屬感、自信、能力及自我價值感的需求？是否因為有些基本的感情需要沒有得到滿足，所以他們才有這些奇怪的舉動？」

其次，神所給的指示是清楚明確的：不可以吃某棵樹上的果子。我所給的指示是否清楚？孩子是否真的明白我的要求？我們很多人都犯了這種錯誤，沒讓孩子弄清楚我們的要求，就輕率的管教他們。

最後，再說一點關於亞當與夏娃的事，免得基督徒父母以為，孩子有任何不盡理想的行為，「都是我的錯」。神是我們父母的典

父母意見不一致時

■柯賴瑞
Larry Christenson

如果在某些情況下，父母對管教孩子的意見不一致時，就應關起門來討論：「如果我們對管教的看法無法彼此認同，至少我們要同意一點，那就是為了孩子的好處，我們應同心一致，而不是要爭你贏或我贏。」

孩子們需要看到父母同心一致。而這也是我們的責任，即使需要挨餓禁食禱告，也該努力去達到兩人同心的地步。有些時候，為了與配偶一致，我們甚至不得不做些自己認為不太對的事。但是，孩子的福祉遠比我們的看法來得重要。

當父母兩人做事立場一致時，會比堅持爭論何法較佳，對孩子來得有益。這就好像是打橄欖球一樣：每位隊員若都按著指揮球員所發的號令行動，必然強過每個人各自為政。

範,即使祂當初把每件事都做得好好的,祂的兩個孩子也並不聽話。所以,孩子是要為自己的行為負責的。

有些人會想,父母可不可能矯枉過正,會不會管教過度呢?這是很可能的。父母最大的錯誤,常常就是打錯了仗。分不清規條與原則。

我們應教導孩子按原則而活,而不只是服從規條而已。

以前,大人總是教我們:「不可以去跳舞。」「為甚麼?」「你不要去就是了!」但卻沒有人告訴我們任何有關開車走一條幽靜的路,送女朋友回家的危險。沒有人告訴我們原則。

我們夫婦試著教孩子原則。例如,我們從來不曾告訴兒子不准抽煙。但是我們一再強調身體是很重要的,我們是很有價值的,神給了我們尊貴的身體及心志是不可毀壞的。

當父母強調原則而非規條時,我們的管教便更能一致,也更有果效。

與本段有關文字
第四冊第二章　把價值觀傳遞給孩子
第五冊第一章　孩子試探家規時

前後不一致的父母
■耿格爾
Kenneth O. Gangel

許多父母在管教孩子上,經常不能持守原則。例如,任憑女兒某晚上講兩個小時電話,因為「我們太累了,不想與她吵」。但是隔天,她只不過說了十分鐘,父母就又吼又叫。這種作法,足以讓一個原本心智正常的年輕人心理失調。

若希望孩子們明白我們對他們的要求是甚麼,我們一定需要在管教上秉持原則。孩子們常抱怨說:「我並不知道你是要我做那個。」雖然你可能認為你已經一再地告訴過他們了,但是,你是否前後一致呢?

當父母不確定如何訓練或管教孩子的時

候,就可能會有前後不一致的情形發生。父母可能不曾體認到,為孩子的行為舉止定下絕對規則的重要性;即使父母已經試著定下規矩,也可能懶得去貫徹實施。如果自己的生活沒有紀律,就很難管教孩子。

審察自己後,若發覺我們的確在管教上前後不一致,也不必絕望。因為神能使一個前後不一致的人,變成一個貫徹始終的人;正如他能醫好酗酒者的毛病一樣。聖經上曾應許我們「就(能)變成主的形狀」(林後三:18),這種改變包括使我們能夠掙脫不良習慣的捆綁,前後不一致自然也是其中一項。

不能前後一致的父母,應謙卑來到神的面前,向祂敞開,並與家人好好溝通。父母不需要怕在孩子面前,坦誠地為孩子及對他們的管教禱告。當我拜訪一個家庭時,我最喜歡聽到的就是那位父親與家人禱告時,肯承認自己的缺點。當一家人同心期盼著,前後一致的管教可以奇蹟般地改變家中混亂的情況時,這種預備好了的心,就已為此蒙應允的禱告鋪好了路。

管教與溝通

■李查之　Larry Richards

兒子三年級時,我們一起上街買衣服。他看中了一件亮綠色的襯衫,既難看,做工不好,而且很貴。我們試著勸他不要買,但他執意不肯。我們覺得他已經夠大可以自理衣服了,就給他買了。

但是那襯衫第一次下水,就皺成一團,而且破了。不用說,兒子很傷心。但是這卻成為教他如何選購衣服的良機。於是我們一起坐下,討論如何選購一件品質好,價錢又合理的襯衫。

這個小故事闡明了在管教孩子的事上,溝通扮演著非常重要的角色。管教的目的,不是要將我們的意志強加在孩子們身上,而是

查明真相

■歐德蘭夫婦
Ray & Anne Ortlund

家中有青少年孩子的父母最好學習不要太快就緊張兮兮。我們很容易在尚未查明事實真相之前,就先劇烈反應。例如,有一天外子回到家,在廚房看到一紙袋的啤酒罐,於是腦中閃過各種念頭,而且心中擔憂害怕。兒子回來時,外子就問他:「嘿,廚房裏怎麼會有那些啤酒罐?」

兒子很不經意地解釋說(外子馬上知道他所說的是實話):「噢!我在院子裏揀到的,我把它們拿進來,要放進垃圾擠壓器中。對不起,我把它們留在那裏了,我會負責處理的。」

外子心想:「哇!好險,還好剛才沒有大驚小怪。」

不輕易論斷是何等地重要啊!青少年孩子及其父母對於有疑問的事,都應該在未證實之前,先假設對方為無罪。

從旁協助他們，培養他們作正確選擇的能力及意願。

如果父母採取的是短視的管教方式，只是省時、省事地命令孩子說：「坐下，現在就這麼做。」這樣不但不利於達成管教的目標，而且甚至常常會演變成意志的衝突，因為父母想將自己的偏見及看法強加在孩子身上。我們可以告訴兒子說，我們絕對拒絕為他買那件襯衫。但是管教的目的，不是把我們對衣著的喜好強加在孩子身上，而是培養他的能力，讓他能夠並且願意去作對的選擇。除非好好溝通，否則父母就不可能達成此目標。

到了青少年期，親子間的溝通就更重要了。因為在他們青少年的文化裏，有許多事物是父母不明白的，孩子面對許多問題及抉擇是父母不曾體察的。因此，父母若想幫助孩子作對的選擇，就得提供一種環境，讓兒女能自由地與他們溝通，並與他們討論難題。

要保持溝通的通暢，父母應留意不要遽下論斷。常常年輕人不會說出他們的看法是甚麼，因為他們自己也沒有把握能說出自己的看法是甚麼。因此，在討論中，他們會說些可能自己也不相信的東西，要看看父母的反應如何。這時我們就得小心注意，一定要平心靜氣、保持冷靜。

兩件有益於溝通的事

每位作父母的都了解，有時溝通不是件容易的事。這裏有兩個建議。其一，父母不要嘗試幫助青少年孩子去避免所有可能犯的錯。例如，我們一旦知道孩子耽擱了學校的一個重要作業，也不要囉嗦個不停；孩子或許會因此不及格，但他也死不了。事實上，反有可能會因此教他學到較好的工作習慣。

其次，父母可以做的，就是讓孩子嘗到事情的自然後果。如果孩子習慣性地晚歸，父母可以提醒他晚飯的時間，並指出讓其他人等是不公平的。如此一來，孩子就曉得，如果他準時回家就有飯吃；否則，就只有吃剩飯了。

這麼做就可免去爭執。吃晚飯不再成為意志衝突的時間。透過溝通，父母讓孩子明白，做甚麼事就會帶出甚麼後果，如此便建立起了自然後果的管教模式。

如果父母從小就從旁協助孩子作選擇,並容許他去經歷那些決定的自然後果,那麼就可避免青少年時期的許多問題。如果父母不曾如此做過,但願意從短視的管教改進為有遠見的管教,那麼就應將基本原則都溝通清楚。而且最好先從一、兩個大原則著手,而不需把每件事都小題大作。

與本段有關文字
第三冊第一章　溝通的藝術
第三冊第二章　溝通是人際關係的基礎

教導孩子為自己的行為負責

■羅格比　D. Bruce Lockerbie

兒子凱文六歲時,與一個玩伴在院子裏玩,我那時正在陽台上打字,所以能聽到他們說話的聲音。凱文把玩伴帶到院子裏的某個地方,因他知道那裏有個大黃蜂巢,然後他不斷地喊著:「來呀,蜜蜂,叮馬克。來呀!蜜蜂,叮馬克。」結果那時真的有幾隻大黃蜂飛出來,並且還叮了馬克。而凱文知道牠們會出來,因此精靈地在牠們叮到他之前便逃開了。

我並不是以自己後來所做的事為傲,但是,當時我走了出去,對他說:「凱文,你站到那裏去,搖搖樹叢,並且重複你剛才說的話。」他照做了,結果也被叮了。但如果不這樣做,我想他永遠不會全然明白他所加在朋友身上的痛苦。

從孩子一開始有分辨能力的時候(可能早在兩歲就開始了),我們就應當一步一步地以愛心教導他們,水會淹死人、火會燒死等道理。若他仍要將手伸到火裏,那麼他就會明白,自己要為自己的行為負責。如果孩子身高一尺半,一伸手便將上面擺滿了東西的桌布拉下,父母就該先告訴他,這樣做一點都不可愛。且要向他解釋,每個人都花了許多工夫準備這頓飯,這些打破的杯盤也是要花

錢買的等等。如果父母不把這當回事，只是一筆帶過地說：「唉！他還小，甚麼都不懂。」這種態度是要不得的。

孩子應當要明白自己的破壞力所造成的後果，且要因懼怕後果

使管教發揮功用
■凱瑞詩
Grace Ketterman

當年輕小伙子也必須被管教時，父母有時卻不知如何做才好。打屁股已經沒有效用了，因為那只會增加孩子的叛逆。一般來說，我相信青少年孩子對停享權利比較在意些。

我也認為當父母所設的處罰與問題行為有連帶關係時，管教的效果會比較好。如果孩子一連好幾次晚回家吃飯，就罰他們一段時間飯後沒有點心吃。如果他們濫用駕車的權利，則一段時間不准開車。而禁足通常是用於比較嚴重的違規。

一旦決定採取何種處罰，就要定下期限，嚴格執行到底。很多時候父母威脅要施行某種處罰，但因為對自己太不方便，於是就草草結束。青少年孩子會尊重那些在處罰上言出必行的父母；當他們犯了某些錯時，也會期待自己將被禁足。

事實上，若給他們機會，青少年孩子往往會給自己定下更重的處罰。下次你要處罰孩子之前，可以問他：「你覺得要怎樣做才能幫助你學到教訓，以後不會再犯同樣的錯呢？」年輕人也不願意自己是一個品格不好的壞傢伙。如果你們之間的關係還不錯的話，他的建議大概會與你心中所想的處罰方法差不多。並且他可能從自己所定的處罰方式中，學到更多。

的嚴重性而不敢再犯。這裏所謂「懼怕」，是指因公義而懼怕。時下我們已很少聽到因公義而懼怕的事了。我們最常聽到的是：「笑一個，神愛你。」你很少看到車後保險槓的貼紙寫：「敬畏耶和華是智慧的開端。」但為了孩子的好處，我們應教導他因公義而懼怕。我們可以漸進地教導他嘗嘗自己所做之事的苦果，但卻不需用凶暴或是虐待的方式。這應從孩子懂得拿根棍子在遊樂場上追著朋友玩時就開始教起，而且持續經過整個青少年期，直到最小的孩子開始使用家庭用車為止。

在浪子故事的比喻中（路十五章），我相信在那小兒子拿著分得的家產離家之前，父親一定曾與他理論過。可是一旦他走了，即便後來結果不佳，父親仍舊讓他為自己負責。那位父親並沒有派人去找他回來，也沒有送任何錢，或任何幫助給他。他讓孩子經歷到吃豬食的滋味，而最後浪子自己也知道回家了。

主耶和華向以西結所說的話更是有力：「惟有犯罪的他必死亡。兒子必不擔當父親的罪孽，父親也不擔當兒子的罪孽。義人的善果必歸自己，惡人的惡報也必歸自己。」（結十八：20）每個人都會經歷到痛苦與煎熬，而聖經教導我們，每個人都要自己負起道義上的責任。因此，父母應趁孩子尚小時，就培養他們這種在道義上自我負責的意識，並且在他們長大的過程中，能繼續不斷地教導這觀念。

快樂與負責是並存的，沒有任何快樂不是伴隨責任而來的。在孩子們約會的那段年日裏，我盡量向他們強調這個真理。我直截了當地讓他們知道，在這個家中，如果有人懷孕的話，就不准墮胎，若採其他方法也不會有經濟上的支援。我告訴他們，性關係就代表婚姻，他們最好有心理準備，要為他們自己的行為負上全責。於是孩子們都知道，如果他們涉入性行為，他們很可能比自己所預期的早成家。

當然，從另一方面來說，世上有許多年輕人，自己才不過勉強可以照顧自己，就得當家作主了。但是，我們不可能不顧孩子行為可能帶來的惡果，卻還想教他要有責任感。我並不擁護傑西·傑克森（Jesse Jackson）的政治論調，但我同意他向高中生所說的話：

「不是因為你可以製造個小嬰兒，你就是男子漢；只有當你會照顧一個小嬰兒時，你才是個男子漢。」我想，有好幾方面有關不負責任所引發的後果，是作父母的不大願意盡責教導的，性方面即是其中之一。

另一件我告訴孩子們的事，就是要求他們在學校裏必須舉止得當，如果他們做了甚麼羞辱自己的事，那也就等於羞辱了我們全家。我很坦白地跟他們說，我對他們的期望，可能超過一般父母對青少年人的要求。我要求他們忠於自己成長的家庭，並讓他們明白，要是叛逆的話，會帶來甚麼後果。

或許有人會指責我太悲觀，不信任孩子。但這不是信不信任的問題。首先我們應訂下基準，然後才來相信他們。我童年最早的回憶，是當我們住在父親所牧養的教堂對面的牧師寓所時，我們的房子位於該城工業區的一角。那時我還不滿三歲，有輛小三輪車。我記得非常清楚，母親在我們碎石車道的盡頭畫了一條線，告訴我騎車時不可越過該線，要不，我就會太靠近街道了。我也記得自己有一次跑進屋裏，告訴媽那條線不見了（因它漸漸沒入碎石內），並請她出來再畫一道。我相信孩子若知道界限在那裏，會自在得多。

父母可以畫定界限，又不使孩子對我們敬而遠之。孩子們理應承擔這些責任；這就是為甚麼我們是父母，而他們是孩子的原因。那種好似很親密的說法：「我的兒子是我最好的朋友」是不對的。我很高興有兩個朋友，他們正好是我已經長大成人的兒子，還有第三個，是我已長大的女兒。但我們之所以能有這樣的關係，是因為我先作過他們的父親，而他們也肯先作孩子之故。以智慧及恩慈來畫下界限，本是我的責任。

同時，我還認清一個十三歲的孩子，的確應比十一歲的孩子多享一些權利。而且，我也應負責讓小的能夠明白這其中的差別。在我的著作「父愛」（Fatherlove）一書中，我提到我們第一次讓大兒子與朋友一起搭火車去紐約的事。當那兩個傢伙像一對英雄般地離開時，他們的弟弟們豔羨嫉妒得不得了。我與另外那個父親商量了一下，考慮了這些弟弟們的成熟度，然後決定讓他們做些其他的事情。但是我們絕不會因他們抱怨，就讓他們享有和哥哥一樣的權

利。

　　父母與青少年孩子若效法政府發出駕駛執照的方法,就會彼此相安無事。州政府要求孩子有相當成熟度與責任感後,才給予駕駛的特權。青少年人不是因為他們想要,或已經夠大了,就可以拿到一張駕駛執照。他們必須證明自己的能力及具有一定程度的常識後,才能得到駕駛執照。如果父母能暫緩給予某些權利,直到孩子們證實自己有能力掌管時才給他們,這樣父母就會看到孩子很快地長大成熟,成為有責任感的大人。

與本段有關文字
第五冊第二章　管教:家庭的朋友或敵人?
第五冊第二章　何時才應對青少年孩子處以禁足?

否決孩子的意見
■柯賴瑞
Larry Christenson

　　當我們糾正青少年孩子的行為時,往往會碰釘子,孩子的反應可能是生氣地跺腳,再不就是用力甩上門。

　　但如果你已經討論過該問題,也下了結論應如何處分,就不能輕易放棄。因一旦開了例,孩子就會開始不尊重大人。比方說,用甩門的方式表達怒氣,就等於對父母說:「去你的!」

　　記得幾年前,我在學校裏輔導一些年輕女孩子。我們的校規很嚴,任何粗魯無禮或是背後讒謗的行為都會遭到處罰。有一天,我把那些問題女孩叫進來,說:「有誰知道如何不開口就能叫別人滾——用你的眼神還是甩頭?」我看到她們流露出會意的眼神。

　　我接著說:「從今天開始,你們的表情動作也要按著說話的標準來評判。」她們馬上知道我的意思。她們若不同意老師的作法,可以用尊重的態度向老師陳明,但若以

不敬的態度表達,那是不可以的。

當然,有時候孩子會悶悶不樂好幾天;這時,你就得明白,管教的目的不是要讓孩子喜歡你,除非你在為二十年後作準備,那時孩子們才可能懂得從比較正確的角度來了解這些事。

作父母的應甘心在家中作個不受歡迎的人;正如我們會告訴孩子,在學校有時即使不受同學歡迎,也應當站穩自己的立場。我們需認清自己有時也會犯錯的事實,但是我們都當依循自己最好的觀點去做。

父母若發現自己錯了,就應承認並求寬恕。但我們不要因為怕犯錯,就不敢盡力發揮自己的領導能力。

誰來決定處罰
■羅格比
D. Bruce Lockerbie

下次如果你的青少年孩子犯了錯,可以問問他覺得應該如何處罰。我想父母這樣問是很合理的:「你覺得怎樣才會讓你記住,以後絕不再犯這種錯誤了呢?」

我依稀記得兩個兒子騎了他們妹妹朋友的腳踏車,並把它弄壞了的事。我不必告訴他們應怎麼處罰,我只是說:「在這種情況下,怎樣做才是對的呢?」他們回答:「我們應當負責花錢把它修好。」

那件事並不是故意的,因此不需體罰。但他們卻得打開撲滿,用盡他們的儲蓄來彌補這個過錯。如果我先定下了規條,兒子們可能不會如此心甘情願地來解決這事。但是,因為我讓他們自己來定案,因此他們對判決毫無異議。

管教：家庭的朋友或敵人？

■耿格爾　Kenneth O. Gangel

如果一個父親說：「昨晚我不得不採取鞭打的老方法來管教孩子。」他顯然是不明白管教一詞之意。這位父親所做的，是懲罰，而不是管教。要想建立一套有效率的家庭管理系統的話，父母就絕對需要明白管教與懲罰間的不同。

讓我先聲明一點，我並不是不贊成體罰，我相信那是父母的基本責任。但對青少年來說，體罰卻不是合適的方法，更何況它也不可能有效。父母若發現自己必須常常懲罰孩子，就應反省一下自己管教的方式。

那麼，到底甚麼是管教呢？管教就是使家庭能夠有秩序地發揮功能。管教包括了規矩與原則，也就是家人之間彼此有默契，知道應當做甚麼，何時做及如何做。當管教失效時，才需要處罰。

我喜歡用築籬笆的好手來比喻有效率的父母。農夫築籬笆來保護他的牲畜，他這麼做，是為了牠們的好處。籬笆定下了牠們吃草的界限。只要牠們滿足地待在籬笆內，牠們就會得到妥善的照料。

家庭中的管教，如同樹立這麼一個維持秩序的籬笆一樣，好讓家人清楚知道界限何在。只要他們不超越那界限，就沒有必要懲罰。其中很重要的，就是父母雙方都應同意如何訂定界限。而且必須避免走兩種極端：

一個想把籬笆築得離家非常遠，孩子們可以任意做事卻仍不會越界。這種做法能給父母一個好藉口，說：「我們孩子從來不會不聽話。」但因為沒有規矩，當然也就沒有違規之事啦。這不過是為犯規脫罪而已。就如同假若交通規則被取消了，即使有人開車時速一百哩，又有誰在乎？因為沒有交通法則，他也就不會犯任何一條了。

另一個極端乃是把籬笆築得離家太近，讓家人一點喘息的餘地都沒有。要維持這樣，只有隨時警戒，也因而導致要經常處罰孩子。太受拘束的孩子，常會與父母發生磨擦，並且由於彼此間的挫

折感,反而蘊釀出不順從的行為來。

　　籬笆之合宜界限應視孩子的年紀與脾氣來定,並且應隨著孩子的成長而重新釐訂。家中不同的孩子,應有不同的界限。這個界限,可視年紀、責任輕重、對界限放寬的適應力,及其他因素等而改變。當家中不只一個孩子時,父母很重要的責任之一,就是向小的解釋,為甚麼哥哥姊姊可以做的一些事他卻不能做。只要用點頭腦,任何父母都會了解,有些事是十五歲的孩子能做,而十歲的孩子不能做的。

　　築起家庭籬笆的第一步是定下界限,第二步則是解釋界限。此時家庭會議的需要就應運而生。讓孩子們明白為何定那樣的界限是

管教可以預防處罰

■麥當諾
Gordon MacDonald

　　管教是擴張鍛鍊一個人身心能力的方式,因為在訓練過程中已付過痛苦的代價,所以在機會來臨時,便能愉快勝任。

　　根據我的定義,管教是發生在事前,而懲罰則在事後(如果表現不當的話)。如果我們經常管教得法又貫徹實行,那麼就沒有處罰的必要了,因為孩子們已經從中學到如何待人處事。

　　大部分父母管教的方式,都是被動式的臨時應變或反應,而不是主動地把握先機。其實制於先機乃是關鍵。

　　在「成功的父親」(The Effective Father)一書裏,有一章我寫到關於在急流中划獨木舟的事。在急流中划獨木舟的方法有二:你可以等到進入急流時,才決定要如何做,但很可能最後你會掉入水中。或者,你可以雙眼注意下游五十碼之外,先決定你的水道,心中盤算出到時如何應變。許多父母犯錯,就是因為沒有事先計畫。

很重要的,至於他們同不同意,則不是那麼重要的事。

父母應該問的是:「你明白嗎?」,而不是:「你同意嗎?」十五歲的孩子對這些界限不一定很感興趣,但不管他喜不喜歡,他都得知道界限在哪裏,以及為何如此。

父母若希望建立合宜、適當的管教方式,就應經常熱切地讀希伯來書十二章。這段經文解釋了神,我們的天父如何管教他屬靈的孩子。內中指出管教的動機乃是愛。整段經文不斷地讓我們看到神管教祂兒女的方式,正是基督徒父母在管教上的楷模:

「『我兒,你不可輕看主的管教,被他責備的時候,也不可灰心;因為主所愛的,他必管教,又鞭打凡所收納的兒子。』你們所忍受的,是神管教你們,待你們如同待兒子。焉有兒子不被父親管教的呢?」(來十二:5~7)

一個家庭必須在清楚的界限內運作,而且管教的作法應是每個人都明白的。有些家庭甚至把原則寫成規章。但偶爾,父母也會碰到一些並不包含在既定原則之內的事,這時,就必須憑愛心說:「等等,我們並不曾為此訂下規則,那麼你們就必須信服我們的判斷了。」

若在百分之九十的情況下,孩子都得到父母對界限的合理解釋,那麼他們就會比較願意在那剩餘的百分之十內信服父母。

與本段有關文字
第五冊第一章　如何讓孩子順服?
第五冊第一章　青少年為何抗拒父母的權威?
第五冊第二章　要管教

如何處罰不聽話的孩子──哪些有效，哪些無效？

■柯賴瑞　Larry Christenson

處罰孩子與使孩子學到教訓是有所不同的。

有些時候，我們不得不採取一些令人不開心的方法來教導，好讓孩子學到他們該學的功課，但是這不是處罰。例如：母親逮到兒子與他的同伴打架。於是她把兒子關進房間裏，說：「你自己想想看，如果每個人都像你跟強尼一樣打架，這個街坊會變成甚麼樣呢？」這不是處罰，而是強調一個觀念。

這種教育方式若是用來教導孩子那些還不明白，或仍未真正理會到的事，是有必要的。若孩子已完全懂得規矩是甚麼，卻仍故意違背的話，那麼就得處罰了。我所謂的處罰（至少在本文內），意指糾正故意的不順服。

基本上來說，處罰有兩種：打屁股，與自食惡果的處罰。

若孩子藉口中的話，或肢體語言表現出對父母的不馴，那麼就應打屁股。聖經說，不忍用杖打兒子的，是恨惡他，疼愛兒子的，隨時管教（箴十三：24）。在孩子進入青少年期之前，立下在愛中處罰的基礎尤為重要。

如果要打孩子，只有一個部位可以打，即臀部。我們絕不可掌摑、揍孩子或虐待孩子。合乎聖經教導的處罰，和虐待孩子的行為正相反。虐待孩子就是那些沒有教養的父母，把自己無法控制的脾氣發洩在孩子身上。

我曾經看見過一個鄰居一掌摑在兒子耳朵附近。我把他拉到一邊說：「絕不可這樣打孩子。這樣子，你們就會變成鬥士而不是父子了。」

神造了臀部，此部位肉多飽滿，而且滿佈神經末端，是父母要處罰時的最佳選擇。

然而，等孩子長到十二、三歲時就不應打屁股了。但願那時父母的權威已經建立起來。即使父母與青少年兒女之間或許會有意見不同的時候，但通常不會是全然不馴了。到那時，親子之間就應該

能夠用講理的方法來解決問題。

　　如果講理講不通,那麼就得採取自食惡果的處罰方法。而且應是由父母來定下規則及後果。例如,如果你已告訴女兒,她可以開家裏的車子,但必須在十一點之前回家。而她卻在午夜才回來。那麼後果乃是,下次她再開口借車,你就拒絕。這種針對違規行為的處罰是最合宜的。

　　其他一些處罰方式,諸如嘮叨、諷刺、貶抑等,則是無用的,

甚麼是虐待兒童?

■史伯之
Dwight Spotts

　　在美國,虐待與忽視兒童是很嚴重的社會問題。父母或監護人若對十八歲以下的孩子,非出於意外地在肉體及情感上施予傷害而,即稱之為虐待。而故意不去滿足孩子生理、心理上的需要,則稱之為忽視(雖然故意忽視的程度,通常很少被明確地定義)。由於在虐待與忽視兒童定義上仍有爭論,包括如何決定出事頻率,何時父母應被判為錯等等,使得人們為解決這問題所做的各種努力受到影響。

　　每州對虐待與忽視兒童的定義都不同,而他們的法令也常常很難解釋及運用。漸漸地,研究學者發覺,沒有任何單一因素能提供充足的解釋。而他們也被訓練得要綜合孩子加上父母再加上當時情況的各種因素一起考慮,才可確定是不是虐待。因此,就大多數的個案來說,目前的法律定義只是在不干涉到父母合理管教的情況下,為孩子提供最起碼的保障。

　　若想更清楚了解這些定義,以及對父母而言這些有何意義,請與當地青少年法庭聯繫。

反會犧牲掉父母的權威。這些方式只是以意志對抗意志，父母的領導權無法在其中真正地發揮。

把孩子關回房間也是一敗筆，而且會引起反效果！他們滿懷不快，關在房裏，憎恨與不滿鬱結心頭。打屁股或其他的處罰，則使我們可以乾淨俐落地解決問題。處罰過了就過去了；我們永遠不要讓孩子覺得有被摒除在家庭愛的懷抱之外的感覺。

我個人認為，最好應由父親來執行處罰，除非是父親不在的情況下，那麼就該由母親毫不遲疑地執行。但有一個例外，就是如果孩子已經是比較大了，大到可以還手時。在這種情況之下，內人就會對孩子說：「現在你要不就躺在床上讓我打屁股，要不就等爸爸回來再打你。」大半他們都會讓媽媽打，因為沒那麼重。但重要的是，讓他們知道爸媽在處罰的事上是站在同一線上。

與本段有關文字
第五冊第一章　如何讓孩子順服？
第五冊第一章　制定規則或任其反叛？
第五冊第一章　孩子試探家規時
第五冊第二章　管教原則是否一致？
第五冊第二章　何時應對青少年孩子處以禁足？

何時應對青少年孩子處以禁足？

■羅格比　D. Bruce Lockerbie

若青少年孩子犯了錯而需要被處罰時，父母應盡可能使處罰與違規程度相稱。犯個小錯卻被大大處罰一番，會妨礙孩子了解兩者之間的關聯，也會導致孩子心中忿忿不平。

在我所寫的「父愛」（Fatherlove）一書裏，曾幽默地提到每家都有其一套該做與不該做的規矩。我自己也列了四條羅氏家規：

1. 如果此事是對的，就好好去做吧。

2. 如果此事是錯的，你應該知道該怎麼做。
3. 如果不確定是對或錯，那大概就是錯的。
4. 在任何情況下，不管幾點了，如果你會比預定的時間遲，就應找個電話打回家。（這條規定能消弭家人久候不至，苦苦等門的焦慮。）

兒子們上初中時，他們學校剛剛改成男女合校。一個禮拜六，我們去看橄欖球賽，天卻下起雨來了。我到處找兒子都找不到。於是跟著一大群人走去一棟宿舍，結果卻看到兒子們坐在女生宿舍的會客室裏看電視轉播那球賽。既然他們覺得自己那麼能幹，當同學們在雨中打球的時候，卻可以周旋在女仕之間，還受到她們殷勤的

責罵要有果效
■柯賴瑞
Larry Christenson

「責備」一詞本身帶有不好的含意，而且責罵通常會變成嘮叨，如此一來，不僅不能發揮效用，更會破壞彼此的關係。但如果是用在正確的情況下，同時也有聖靈的引導，那麼責備就能帶來好的效果。

最重要的是不要太經常地責備孩子。如果一個月中責備多過一次的話，就會喪失嚇阻的功效。事實上，我覺得對小一點的孩子來說，打屁股才是上策，而痛罵則為下策。如果你經常責罵，他們馬上會知道那是無關痛癢的，然後會一直把你逼到幾乎非打他們不可的地步為止。長此以往，就變成他們操縱你，而不是你管制他們了。

父母在這方面所犯最大的錯，就是光以聲音來處罰，卻沒有真正採取行動。

當然，在一些比較特殊的情況下，我們還是必須按自己真正的感受，嚴厲地責備。但要先肯定所發生的確實是個大問題，而不只是一些令你生氣的事而已。

招待。於是我想，或許做幾天苦工，可以治治他們那好逸惡勞的毛病。

首先，我們先一起看完該球賽（在雨中，而不是從電視上），接著，連著兩個下午，我給他們一把鏟子及一把十字鎬，叫他們幫我整理院子（那些我本來是打算雇些較壯的男孩來做的）。

我不是說所有的處罰都應該與做家務或這類的事有關。但我想若可能的話，我們應盡量與孩子分享經驗，這是很重要的。父母不應只是說：「你去做某事。」而應說：「你的行為讓我很生氣，我想我們該想個辦法來解決。」

同時我還覺得，最好要避免用一些可能是美好體驗的事情來作為懲罰。例如：學校老師罰學生寫文章作為一種懲罰方式，這是最難叫人同意的事。我曾經是英文老師，最不喜歡看見有人將寫作拿來作負面運用。寫作的權利及能力是神的恩賜，我寧願老師們找一些更合宜的方法來作為處罰。

同樣的，很多基督徒父母也犯了處罰不當的錯誤。我們絕不應拿屬靈的事作為懲罰方式，但我們卻會說：「因為你犯了錯，所以必須去參加禮拜三的禱告會。」或者藉勉強孩子去背聖經經文作為懲罰。結果導致他們把教會活動當作討厭的事。我們應當看清許多處罰方法背後所隱藏的後果。

在管教方法上，我只有在孩子嚴重犯規時，才用禁足的處罰方式。僅在偶爾的情況下，孩子會犯這種錯，使我氣得不得不說：「好！因你所做的事，你得暫停使用家裏的車子。」

如果我們稍加思想，父母就能使管教成為孩子們正面的體驗。如果能處罰合宜，又不反應過度的話，那麼，每次的懲戒都將能成為孩子成長的經驗，並是使親子之間更加親近的良機。

與本段有關文字

第五冊第一章　如何讓孩子順服？
第五冊第一章　孩子試探家規時
第五冊第二章　教導孩子為自己的行為負責
第五冊第二章　如何處罰不聽話的孩子？

孩子長大時，管教方式應改變嗎？

■費爾蒙　David Veerman

「不忍用杖打兒子的是恨惡他」（箴十三：24）是大多數基督徒父母都熟悉的經句。我們也這麼相信，但困難是在於如何施行。每個孩子都不同，打屁股對某個孩子有效，但卻似乎會傷透另一個孩子的心。還有，就是我們常常會在執行前，無法避免地會懷疑自己的處理方式是否恰當。於是我們經常只是威脅孩子，卻很少真正實行到底。

不論你孩子的年齡或大或小，管教都不是一件易事。到孩子進入青少年期後，問題似乎顯得更大。到底用甚麼方法管教青少年最有效呢？孩子長大成熟時，我們的管教方法應否更改呢？

首先最重要的，是應當認清，大一點的孩子仍需管教。在自我認同危機及同儕壓力的痛苦下，孩子們迫切需要安全感。堅定、合理的管教，如同牆一樣，能使他們得到保護，定下界限，並且表達了父母的關懷及顧慮。這道牆是不可少的，它不只是用來遮護而已，也是為了青少年孩子的成長，及預備他們將來必須面對外面的世界，而那是需要他們學會自我操練才能應付的。這樣說來，管教的目標，就是為了要裝備孩子能在沒有父母監視的情況下，自己去面對生活。

當孩子們漸長時，很顯然地，體罰是愈來愈難執行了（五尺五吋的媽媽，如何去責打六尺二吋的兒子呢？）遺憾的是，許多父母就訴諸吼叫，很快地，討論就會變成怒罵。相反地，其實我們應該更加以體貼、投入及有創意的方式來解決管教的問題。

如果我們真的希望準備孩子將來能離開我們的照料，那麼我們就應該漸漸增加他們的自由、權利及責任，這涉入了時間（返家的時間）、金錢、使用車、約會及其他「成年人」的活動層面。青少年努力求獨立自主時，他們希望被信任，而我們則應刺激他們朝能被信任的方向走。

我們的管教方式應與這過程同步。當孩子進入初中時，我們應

個別與他們談談，解釋一下基本規則，亦即，我們的目標是要幫助他們走向獨立自主，我們不再打屁股，不再用威嚇的方式，而是改用一些涉及到他們的自由與權利的方式來管教他們，並且我們將會堅定、公平又一貫地實行下去。

開始時可以試行的方面，包括保持房間及物品的整潔，服從家規，及對待兄弟姊妹的態度及讀書的習慣。然後（特別是拿到駕駛執照之後），項目就要擴大到回家就寢時間、使用車子、活動的選擇、約會及金錢等方面。每一項賞罰都應在問題發生之前先想透徹，這樣才能保證公平及他們的學習效果。

下面列出是一些可能發生的情況：
- 如果成績能保持令人滿意的程度，他（她）就能參加課外活動。如果成績退步了，就應暫停該活動。
- 如果在學校裏出問題，或有其他嚴重違規的事發生（如喝酒等），就應停享一些權利，諸如禁足、不准看電視等。
- 如果遵守了返家時間的規定，該時間可被延長；否則，將被縮短。

下列是必須遵守的一些原則：
- 每條規則都應包括賞與罰。
- 應保持良好溝通。我們可以把規則當契約一樣看待，甚至將原則一一條列寫下來。
- 我們的最終目標是培養孩子有負責與獨立自主的表現。
- 除非有反面的證據，每個人都應被視為是值得信賴的。

請特別小心，千萬不要把可改變生命的有益活動用來處罰（例如，停止參加教會青年團契的活動），也不要拿聖經當武器（例如，用背聖經來作為處罰）。

與本段有關文字
第二冊第一章　角色的改變

恩威並施

■費爾蒙　David Veerman

「那孩子真是快要把我們給逼瘋了！」雖然她聲音中充滿了憤怒，但我可以感受到她內心深處的傷痛與沮喪。

「他老是跟我們吵。倒也不只是爭吵，而是他那整個態度讓人受不了。我們真不知道該怎麼辦才好。」

「那孩子」是個桀驁不馴的年輕小伙子，已經大到不能打屁股了，那麼，父母該怎麼辦呢？我們聽到時下的許多不同的建議與看法，從「禁足」到「威脅他們離家」都有。我們愛孩子，也希望他們享受最美好的生命。但我們如何影響他們去為自己作出最好的選擇呢？

如果有人能發明一個簡單的公式，用來管教青少年，……噢！就能製造出一個成熟的男人或女人，那有多好！遺憾的是世上沒有這樣的公式。生命太複雜了，每個人都是神特別的創造。如果管教兒女，能靠「三個簡易步驟」的方式即能大功告成，那實在違反了神造人的獨特性。

但在我們舉手投降之前，也不必失去盼望。聖經中充滿了神的應許，從這些應許中，使我們看到，不論是人的本身，其生命的方向，甚至人的本性，都是可以改變的（路十九：1～10）。我們再看看使徒們，抹大拉的馬利亞以及撒該的例子，在神實在沒有難成的事（路十八：27）。

同時，父母若能夠了解，原來我們青少年孩子所做的，大部分都是十分正常的，這對我們會有幫助。孩子正卡在兒童與成人間的過渡時期，他們在情感上逐漸成熟的同時，也正嘗試著獨立自主及發展自我意識。這整個過程對他們而言，正如對我們一樣，都會令人困惑又精疲力竭。

聖經原則能引領我們走過這段通常很艱難的青少年期。首先，我們應把自己與孩子浸潤在禱告中（太二十一：22）。這比僅僅祈求神的祝福及保守要深刻得多。我們應常將內心深處的感受與懼怕

都擺在神面前。但我們也應預期,當我們將主權及期望交給祂時,內心必然會有掙扎。

禱告是最基本的方法,但那不過是第一步而已。

我們還必須以愛心及管教來配合行動。聖經主張這些方面應該平衡。一方面聖經教導父母,不可以「不忍用杖打」(箴十三:24),但另一方面,作為基督徒,我們也應當彼此相愛(約十三:35)。這種平衡的運用實在太重要了,以致於我們不敢忽略它。

所以一方面,我們應以管教的牆包圍孩子。這道管教的牆包括定下規則、限制、堅定的態度、為執行原則而定下各式處罰及懲戒的方式,這道牆會提供孩子安全感。

特別對高中生來說,溝通是非常重要的。我們應談清楚家規及原則,甚至條列寫下來,以免混淆不清,而且賞罰都應包括在內。這可幫助我們在合適的時候,即迅速、堅定又能公平地執行家規。在這當中,重要的是要運用想像力,孩子可與我們一起想出新的管教方式。如果雙方對所建議的方法都表示同意,那就最好不過了。

另一方面,在管教的圍牆之內,我們應當尋求有創意的方法去為他們「洗腳」(約十三:14～16)。愛始於家中。耶穌用了一條毛巾,謙卑地示範祂的愛。通常,如果在家中有任何問題發生,我們就會對孩子大驚小怪。但如果他們似乎很快樂或安靜(特別是安靜),我們就不干涉他們。

其實,比較好的辦法是主動地去尋找並服事他們的需要。仔細的探討會對我們更有助益。他們喜歡甚麼?我們可以自問,然後主動地去做──給他們音樂會入場券、煮他們愛吃的東西、把運動器材修理好、一起計畫大家都喜歡的活動、讓他們使用車子,以及做其他令他們驚喜的事。我們這麼做,因為這乃是祂愛的方法。當我們願意為孩子洗腳(尤其是為青少年孩子)時,我們就活出基督的愛。我們建立了深刻的親子關係,也贏得了讓他們聽話的權利。

最後,合乎聖經原則的管教方式應包含耐心與信心。神要我們做忠心的管家,但最後的結果乃在神的手中。因著信,讓我們恩威並施地建立管教的牆並為他們洗腳,然後安息下來,因祂自己一定會完成善工。

與本段有關文字
第三冊第二章　如何真正愛自己的青少年？
第四冊第四章　父母禱告生活的驚人效力
第五冊第二章　要管教

管教的時機與頻率

■青年歸主編輯室

青少年的父母最棘手的問題之一，就是如何管教。我們知道青少年仍需被管教，但他們卻太大不能打屁股了。顯然的，這並沒有簡單的答案。下列是一些原則：

1.懲罰與管教雖然關係密不可分，但二者之中仍有差別。「管教」是促使某人朝某正面目標前進的手段。

2.重要的是對於原本孩童時期已定好的懲罰管教體制，應繼續保持。換句話說，我們並不需改變規則或一般原則，所改變的只是管教方式而已。

3.學習去了解何時是該喊「夠了」的時候，並要找出那壞品行的深層原因。如果父母必須不斷處罰同一個毛病，那就表示這個處罰已經失去了效用。青少年孩子外在的行為，是他們內心深處受困擾的表現，其實父母更需注意他們裏面的問題。

4.不應在怒中處罰，處罰也不應是父母發洩情緒的管道。在執行之前應先試著冷靜下來。

5.告訴他們兩個後果，並提供一個正面的選擇。例如：如果孩子對母親說話不敬，你把他送回房間，並要他答應：「如果這個禮拜內，在沒有人提醒的情況下，你能不再對媽媽說話不恭敬，那麼你就有獎賞，要不，就要受懲罰。」這比說：「永遠不許再

這麼做了！」來得好（因為一週比永遠容易多了）。

6.要求青少年孩子協助我們訂定管教方式，問他怎麼樣的處罰（或獎賞）會比較公平，且具鼓勵性。

第二章

以信任治家

- 甚麼時候可以信任孩子？
- 孩子對你失信時該怎麼辦？
- 不要把自己的失敗投射在孩子身上
- 何時可以讓青少年孩子單獨在家過夜或度週末？
- 合乎聖經的信任因素有哪些？

　　青少年孩子抱怨最多的一句話就是：「父母不信任我。」除了愛之外，我們能幫助年輕人長大成熟的最有力工具，就是信任他們。當然其中有暗藏的危機。但世上可能只有好沒有壞，只有光沒有黑暗，只有上沒有下，只有充滿而沒有空虛嗎？當然不可能。因此，也不可能只有信任而沒有失敗與失望。但若能讓信任之光照耀，引導年輕人走過來，那麼父母與孩子都將會一同享受到成果。

何時可以信任我們的青少年孩子？

■凱斯樂　Jay Kesler

你十九歲的女兒像一陣風般輕快地走入客廳，在你臉頰上親暱地吻一下。不經意地提到，她的房間一塵不染啦，功課也做完了，碗也洗好了，明天學校也沒考試。

你們夫妻倆一定會飛快地互望一眼，不發一言地默問：「她到底想要甚麼？」

不需太久，她就會自動說出答案來了。「爸媽，吉米七點來接我，可以嗎？（而當時是六點五十五分）我們一夥人今晚要聚在一起，我答應十點以前一定回來。」

晚上你躺在床上，盯著臥室的天花板，睜著眼等女兒回來。十一點零七分時，她試著從後門偷溜進來。但是，你當然聽見了所有的動靜。好，總算可以卸下憂慮了，但是你歎口氣說：「何時我們才能信任孩子呢？」

你知道信任包含些甚麼嗎？你知道如何在父母及孩子的心中培養彼此信任嗎？這些都是難題，也沒有人能回答這所有的問題。但是聖經裏卻有一些原則與此有關，能幫助我們父母作正確的決定。

1. 去認識自己的孩子。我們不可能對一個不熟識的人產生信任。而且，父母不應按自己的希望，而是應按孩子的程度去接觸了解他們。魏爾森（Earl Wilson）在「你試試作年輕人看看」（You Try Being a Teenager）一書中，如此解釋：「沒有尊重，就沒有愛；沒有愛，就沒有友誼（或信任）。這種友誼比與兒女成為同伴來得有深度，因其中包含深切的認識、關懷與尊重。父母應該隨時有時間留給孩子。真正的朋友是會一起玩，一起工作、思想、感受，一起解決問題，並一起與神交通。」

有些父母擔心：「如果我們與孩子太過接近，他們就會爬到我們頭上來了。」事實上，結果常常是相反的，只有在親密健全的關係中，父母才能享受到較多的尊嚴與權威。

2. 要作個好榜樣。父母若常說：「別照我所作的去作，而要照我

說的作。」那麼他們就失去了原本父母身教所能帶出的有力影響。

3.建立他們的自尊。公開肯定,只在私下責備,這樣的作法是對的。我的小狗會起身繞過院子,要我拍拍牠的頭。我們大部分的人也是如此,孩子更不例外,所以千萬不要吝惜你的誇讚。

4.要與孩子溝通。要記得,溝通應該是雙向的,如果青少年孩子察覺到,與父母說話時,必須像回答考題那樣慎重,時時被打分數;或是因無法引起父母注意,而感到被忽略,那麼他們就不會把心裏真正的感受分享出來。要想和他們建立一生之久的穩固關係。你必須對他們所說的顯示出真正的興趣。

5.培養孩子們的價值觀。魏爾森(Wilson)這樣說:「若沒有一貫性的管教,就不可能傳遞價值觀與道德觀。孩子進入青少年期以後,父母已無法再將自己的價值觀強加給他們。惟一可能的辦法,就是與孩子建立起良好關係,使他們在價值體系有困擾時,會把我們當作諮商詢問的對象。」我們能幫助青少年孩子的,是讓他們用自己的價值觀來作決定。

6.培養孩子的責任感。要讓青少年孩子知道,你想給他們更多的獨立與自由,但在這過程中,他們得學習負起更多的責任。例如:如果你的兒子無法準時回家,那麼他就還不夠格與女孩約會。

當青少年孩子開始負起更多責任時,接下來就是信任他們。告訴孩子,我們相信他會小心用車,或週末爸媽不在家時,相信他們會好好看家等。作父母的不可能要給孩子責任,卻又不信任他們。

等到孩子長大離家後,任何他們所作的決定,都該由他們自己負責了。但願那時你對他們的信任,已培養起他們正直堅穩的性格與獨立性,即使在違反他們價值觀的事物面前,他們的立場也不致動搖。

7.了解青少年。要了解到,年輕人就是想要與眾不同,年輕就是桀驁不馴,就是充滿懷疑,想要嘗試萬事。這倒不是說孩子滿懷敵意,或永遠對經得起考驗的東西不感興趣。他們只不過是在嘗試尋找屬於自己的一套價值觀而已。

8.認識生理變化所引起的情緒不穩定現象。外貌上的一些問題,諸如小個子、招風耳、牙齒的瑕疵及眼鏡等,都會影響年輕人

那顆敏感脆弱的心。我們自己大半也能回想起過去的那些掙扎，而覺得好笑。但是當你自己身處其中時，那可是一點都不好笑。

生理上的巨大變化，常給青少年孩子帶來很大的情緒壓力。若有人同情，他們就很被吸引。若父母不同情，他們便會轉向別人。

9. 了解並同情孩子的社交活動。對許多青少年來說，社交是最可怕、最有威脅感的一件事。青少年孩子的社交圈子可以是很無情的。常常父母詫異為何孩子選擇跟這一夥人在一起，而不與另一些看來更有助益的朋友為伍。事實上，孩子自己不是沒想過，然而可能只是因為一些主觀看法的問題，例如長相等因素，使他根本被拒於圈外。

10. 發掘孩子的長處。把我們的注意力集中在他們的長處上。想要在消極負面的氣氛下培養信任是很難的。這並不是說我們絕不可更正孩子，而是說只有在愛與尊重的氣氛中，在孩子們有安全感時，父母對他們的指正才會有果效。

這十個原則能幫助我們發掘，如何在家庭和樂的氣氛中培養信任。如果我們真的實際運用了這十個原則，那麼就可以使信任成為我們生活規律的一部分嗎？讓我們來看看以下幾個實際的例子。

在金錢方面，與其隨意給孩子錢，不如給他們一筆固定的零用錢，也信任他們有能力按需要來作預算。重要的是，如果他們把錢用光了，千萬不要再給，應讓他們缺錢用，直到下次發零用錢時。如此做是希望他們能學會作好預算。

幫助青少年孩子因為尊重他人的緣故，而願意交待自己的行蹤（好讓別人不為他擔憂），而不需要別人來查核。您可以問他們：「學校活動結束後，你們還需逗留多久？你何時可以回到家？」如此可表達出對他們掌握時間能力的信任，也提醒他們持守自己的決定。

讓孩子看出責任與權利之間的關係是好的。當他們學習到能更多為自己的行為負責時，我們就應給予他們更多權利。如此的信任能建造你的青少年孩子，使他們更加成熟。

我們強調信任，鼓勵信任，但請不要忘記孩子不是完人，他們也會犯錯。很多父母的錯誤是，只要孩子一旦失信，他們就完全不

再信任孩子了。父母會說:「除非你能證明你是可以被信任的,否則我們是不會再相信你了。」但是若沒有給孩子機會,他們怎能證明自己是值得信賴的呢?當我們說:「你來贏得我的信任吧!」其實就是在表達一種不信任的態度。

這樣的態度是不實際,也是不公平的。因為孩子可能在其他方面表現很負責。當孩子失信時,或許我們可以暫停他們某些權利一段時間,但應繼續保持良好溝通。告訴孩子為何必須這樣做,然後盡快地讓他們可以有表現負責任的機會。

我們也要小心,不要把自己過去的不良行為投射在孩子身上。例如,當女兒出去約會時,作父親的常自以為自己知道那男孩心中在想甚麼。而事實上,他們根本不知道那男孩心中所想的是甚麼。他們所知道的,只是自己當年十七歲時心中所想的。許多基督徒孩子,根本不會想到去做一些他們父母得救前所做的一些事。每個人都應有機會來證實自己是值得信賴的。

父母雖然得冒被欺騙的危險,但是選擇相信孩子,仍是比光知自我保護,免得被愚弄,要來得更有力有效果。重要的是,要讓孩子知道你對他們的愛是無條件的,即使面對失望和恐懼也不動搖。

我們是否有把握能事事順利呢?當然不可能!但請記得,培養信任就好像嬰兒蹣跚學步一般,我們必須跨出最艱難的第一步,走向一個持久的關係。其中是會有丟臉、失敗與被拒絕的時候。但當你願意給孩子再一次機會,並表現出相信他們有負責任的能力時,你的信任便開始起作用了。起初,效果一定緩慢又不穩定,但只要假以時日,你們全家必能飽享甜美的果實。

與本段有關文字
第四冊第三章　給孩子成長的空間
第五冊第一章　青少年的權利抑是家庭的權利?
第五冊第一章　青少年也是人

「為甚麼孩子不信任我們？」
■青年歸主編輯室

「信任」是很寶貴的禮物，失去信任就太可悲了。然而不幸的是，信任卻是如同細絲般地脆弱。輕諾或失信往往可能毀掉多年所建立起來的友誼。

信任這兩個重要的字，經常出現在青少年孩子與父母的對話之中。常常會聽到高中生反問說：「到底怎麼了，難道你不信任我嗎？」而我們作父母的則一臉疑惑，奇怪孩子為甚麼不再像小時候那樣信賴我們。

這是父母在感情上很難接受的層面。我們知道其實孩子們根本不聽我們的勸告，但眼見孩子轉向聽從別人，信任別人，父母心中的威脅感馬上大增。

事情之所以會如此發展，主要是因為青少年孩子渴望長大獨立自主，所以「切斷臍帶」是必須的。另外，可能也因為他們怕父母失望或傷心，因此不願把每件事都告訴我們。

然而，常常是父母的行為使問題惡化。或許我們說的是一回事，做又是另外一回事。原則不一致就會埋下不信任的種子。誇大其詞的說法也有同樣的效果（例如，一個過分想保護女兒的母親會說：「如果吻了一個男生，你就會懷孕。」），等到孩子明白事實真相後，也就學會了懷疑父母說話的可信度。

關於信任這個難題是沒有簡易答案的。以下是一些建議：

1. 不要誤把他們想獨立的渴望，看成是對我們的不信任。

2.不要擺出一付絕不出錯的權威模樣。相反地,我們可以給他們兩個好的建議,讓他們自己選擇。

3.樂於容忍與我們看法並不相同的行為(我們也期望他們這樣做),而且不以此挑剔他們。

4.說出感受,坦誠溝通(亦即,「即使我不贊同,但你仍有自由可以這麼做」),同樣地,也要讓他們明白,我們不會抓住這件事來攻擊他們。

5.我們應能保密,絕不把他們的私事告訴別人。

父母能控制青少年孩子的環境嗎?
■青年歸主編輯室

「輸入的是垃圾,輸出的也必是垃圾。」用這句電腦術語來描述我們的情況,是很貼切的。如果我們所吃的盡是「垃圾」,那就難免不斷在生活中引出各種問題(從思想到生活方式)。可惜,我們的確是被這些東西所包圍。政客、鄰居、電影、電視、及雜誌等,都在製造環境的「污染」。我們很難不言過其實,但讓我們正視此事,我們所處社會的價值觀,的確很明顯是不合基督徒觀念的。

在孩子們長大的過程中,我們很難不為他們所吸收的東西擔心。除了那些「我第一」及「性氾濫」的價值觀外,孩子們也發覺在知識、社會,甚至屬靈的事上,如果用偷懶抄捷徑的方法,真的反而省事多了。

當然,我們不能「強餵」孩子甚麼(尤其是青少年)。可是我們卻能幫助他們培養「口味」。這應從他們小時候就開始作起。

與其控制他們的環境（或是保護過度），我們作父母的還不如設法提供其他一些好的選擇。

這就是家庭為甚麼這麼重要之故。作父母的應自問：「我們家中是在教導怎樣的價值觀與優先次序呢？」若想提供好的環境，就要採取負責任的態度，慎重地選擇電視節目，看重教會敬拜、家庭靈修、選擇好書、好娛樂等。還有，應讓孩子接觸好的藝術、音樂與文學。當然，我們不能強迫他們喜歡這些，但是他們至少應知道這些東西。（如果他們沒有機會去接觸，也就不可能去喜歡了。）沒錯，我們不可能控制他們的環境，但卻能提供他們其他好的選擇。

幫助孩子培養對環境的洞察能力也很重要，教他們不只觀察表面現象，而是能夠深入看透其中所包含的價值觀，並幫助他們作成熟的決定。我們應牢記，他們不久以後便要獨立，並且需要為「餵養自己的價值觀」一事負起全責。

信任的內涵

■羅傑爾　Adrian Rogers

多年來我們總是告訴孩子，我們信任他們，但我們卻不一定會信任他們的判斷力。信任他們與信任他們的判斷，兩者之間並不相同。或許我非常相信我兒子，但這並不表示我會讓他為我作開腦手術（如果他沒有取得資格的話）。這與對他信任與否無關，我不能信任的是他的判斷與經驗。

我常跟孩子們說，我雖然信任他們的品格，但他們仍需贏得我對他們判斷力的信任。我告訴他們：「你們的判斷力若愈來愈好，我就會給你們愈來愈多的自由及責任。自由及責任是並行的。你負的責任愈多，就會得到更多的自由。」

青少年人在長大成人的過程中，需要學著獨立自主，他們需要被信任去做一些自己的事。他們預備自己脫離父母，這是對的。若

父母會不會過度信任孩子？
■青年歸主編輯室

身為父母的我們可不可能過度信任孩子呢？事實上，當我們全心相信孩子的正直品格時，結果只有好處，沒有壞處。親子間彼此的信任是為人父母的一種祝福。如果我們覺得孩子信任我們，我們就會格外珍視這種關係，而孩子的感覺亦同。信任能孕育出責任感。父母應盡量給予孩子獨立自主的機會，並且儘可能地給予肯定的回答，以表達我們對他們的信任。

當孩子學習自己作決定時，當他們對的判斷愈多，我們對他們的信任也當愈發增加。在孩子們容易失敗的地方，不要過早給予太多的信任。在有待成熟加強指導的方面，不能給予過多信任；在知識、經驗、自信尚不足作成正確決定的地方，也不要給予信任。孩子若一再重複作出錯的決定，正表示他們仍需我們的協助，然後才能作出正面、有建設性的決定。

要教導孩子從小如何作聰明的選擇；等他們到了青少年時期，就可以給他們多些自己作決定的機會。當我們鼓勵他們獨立自主時，要將自己和孩子都交託在神的手中。你想，我們有沒有可能過度信任神呢？

孩子不再需要父母,那父母便是成功了。

然而很多時候,當孩子不再需要父母時,或至少不再像以前那樣需要他們時,父母卻仍然覺得自己有被需要的需要。於是他們便試著「製造出」一些要求強加在孩子身上,孩子們自然會反感抗議說:「不要再把我拴在你的身邊,我希望能被信任,我不要這些限制!」

這是青少年的自然反應,也是長大成熟過程中自然有的部分,但是許多父母卻指責這是頑逆不馴的行為。這麼一來,孩子就會真的不服氣了,他覺得父母不信任他。而的確他們當中是缺乏信任,然而,不信任的不是孩子,而是父母自己。父母不相信當孩子不再需要他們時,自己能好好地過下去。這種被需要的需要,往往導致分裂。

當然有些年輕孩子是不能被信任的。聖經說:「愚蒙迷住孩童的心」(箴言二十二:15),孩子有時也的確需要管教。但如果父母在應信任時,卻不能給予孩子信任,此時就應找人談談,幫助為人父母者了解到,這樣做是不信任孩子,不信任自己,也不信任上帝的表現。

重要的是,父母應給孩子愈來愈多的信任及責任,直到他們能離開我們,獨立自主。這樣,我們只算是了卻一樁工作,而非從親子關係中脫身。事實上我們能這樣做之後,彼此的關係會變得更美、更有意義。像我現在就更能以孩子為樂,因為不需要再駕馭他們,不再需要整天監管他們所做的每一件事,也不必再討論信不信任的問題。我現在有四個好朋友,我們一起享受各種樂趣、默契與友誼。

與本段有關文字
第三冊第二章　彼此尊重
第三冊第二章　如何真正愛自己的青少年?
第五冊第三章　何時可以信任自己的青少年孩子?

當孩子辜負你的信任時

■賴德 Norman Wright

我們的兒女實在讓我們失望，我們以為他們不會辜負我們的期望與信任；我們相信他（或她）會好好愛惜車子，會在一定的時間內回家，會保守自己的貞潔。但是這些青少年孩子卻辜負了我們的信任，這實在是令人傷痛的一種經驗。

讓我們來痛定思痛，找出原因，好讓我們可以面對這種心如刀割的感覺。先自問：「我難過，主要是因為失望，覺得被騙了？或是因為害怕別人的議論？還是因為孩子將面對的後果而擔憂？」

要面對這種受傷及失望的感覺，父母有兩個選擇：(1)將我們的青少年孩子用欄杆圍起來，盡我們所有力量，好好控制一切。(2)利用此機會，幫助他們下次不要再犯。這並不是說我們要刻意壓抑受傷的感覺；而是我們需要理智地考量，在檢討一切事情時，都應想到未來。

與孩子坐下來，談談事情的經過。問他們：「你想，這事為甚麼會發生？現在，我們應當怎麼辦呢？」處罰過後，就應致力於重建信任。

如果孩子犯的是大錯，那麼這個重建的過程就應緩慢進行。當孩子一小步一小步贏得我們的信任之後，才能再給他們多點自由。

如果孩子一再地犯同一規條，這就說明了他們並未從經驗中學到教訓。好比說，兒子已經拿了五次交通罰單之外，又出了四次小車禍，然後還來問：「嘿，讓我用車吧。」

「不行！」你說。

「你不信任我！」他生氣了。

此時，我們可以這麼回答：「沒錯！我們在這方面的確是不信任你。在別的方面我們是信任你的，但是這方面可就難了。更何況你已經有過許多機會了。」指出問題後，我們就可以建議解決的方法：「我們希望你能做到以下這些事，好讓我們在這方面可以重新信任你。我們要送你上汽車駕駛學校，或上警察局特別為交通違規

者開的課。」

「接下來一個月你開車時,都要有我們坐在旁邊。然後,我們才會在這方面漸漸讓你有更多的自由。目前我們無法讓你使用車,一則是因保險的問題,二則如果車子失控,你可能會撞死人。」

有時候一旦養成了違規的習慣,作父母的就算是給青少年孩子再多的信任也沒用。例如,他可能有吸毒或酗酒習慣,若是開車,就是對別人造成危險。如果他仍堅持那些不良習慣,我們可以給他選擇:「如果你吸毒或酗酒,你就不可以用車。除非你能向我們保證不吸毒或酗酒,才可以用車,這就要看你自己如何選擇了。」應讓青少年孩子學到,生命中充滿了各式各樣的選擇,以及隨之而來的後果。

當我們願意相信青少年孩子的同時,我們也意味著願意承擔一旦他們失信的風險。如果我們能讓孩子簽下同意書,保證絕對不辜負我們的信任,那就好了,甚至還可以把它拿去公證,但那只不過是一張紙罷了。不論在任何愛的關係中,我們都需冒著被傷害的危險。你我皆同,我們都會有失望的時候,這就是當我們說:「我仍愛你」時,所必須付的代價。

與本段有關文字
第三冊第二章　如何真正愛自己的青少年?
第五冊第三章　何時可以信任自己的青少年孩子?
第五冊第三章　信任的內涵

無條件之愛的考驗
■賀之奎
Ronald P. Hutchcraft

或是爭鬧不休,或是沉默抗議,我們所有的孩子都曾以不同的方式反叛過。試探父母可以容忍的限度,是正常成長過程中的一部分,問題是:「當孩子做了一些讓我們很難接受的事情時,我們是否仍能愛他呢?」

無法感受到無條件的愛,可能是造成孩子反抗父母權威的最重要原因。無條件的愛

是世上最有力的一種催化劑，足以改變人心。總有一天，我們不能再以父母的權威壓制孩子，他會享有很多自由，大多數時間不在我們身邊，而且個子同我們一般高。這時我們對他最有力的控制，就是無條件的愛。這樣的愛，孩子可以感受到，因為無論他們在人生道路上成功或失敗，我們都一樣地愛他。雖然無條件的愛不能保證我們天色常藍，花香常漫，但它可以保證我們有快樂的結局。

當然啦，最能考驗無條件之愛的時機，乃在於孩子失敗的時候。這也是我們考驗神的方式。當我們還作罪人的時候，神的愛就向我們顯明（羅五：8），這是作父母的最高典範，當我們全然悖逆時，神就為我們作了無上的犧牲。這是我們愛孩子應該效法的先例，也顯明了此愛所傳送出的偉大能力。

按人性來說，我們是無法一直堅定不變地愛孩子的。這是為甚麼當孩子不可愛的時候，我們需要接上基督愛的源頭，才能再繼續愛我們的孩子，因那也是他們最需要我們愛的時候。

我們是會犯許多過錯，但是愛不但能遮掩許多的罪，也遮掩許多我們父母所犯的錯誤。我相信無條件的愛至終是會贏得勝利的，它已經贏得我們到神面前，並且也要繼續得勝。

許多孩子若不一直到走投無路的地步，是絕不肯接受幫助與改變自己的。一旦到了盡頭，他們就會投向那一直愛著他們，並一直站在那裏等待的人。浪子回頭的故事就是一個典型的例子，那兒子知道，只有一個人

他可以投靠,那就是他的父親,那在他一生一直向他彰顯出無條件之愛的父親。

此一時也,彼一時也

■卡尼　Glandion Carney

　　父母不應把自己的成功或失敗投射在孩子身上。我們自己在青少年時所犯的錯,並不見得現在孩子也會重蹈覆轍,他們甚至可能連想都沒想到過!所以作父母的,應學習相信自己的孩子不會做我們當年做過的那些傻事。

　　要體認到我們是活在不同的環境,不同的世代中,我們過去在青少年時期所做的,與現在孩子們會做的事,全然不同。現在的價值體系、生活方式,都與過去完全不同。因此如果一味地對青少年說:「想當年,我們如何、如何」,是十分不公平的。

　　在我小時候,坐車兜風是件大事,若去藥房買避孕用品是很難為情的,而在第一次約會就親吻,更是叫人難以接受的事。但今天,孩子們會毫不考慮地去買避孕用品。現在這個性混亂的社會所傳播的觀念是,如果你與男朋友或女朋友不發生性關係的話,你就有問題。

　　如果我們能了解孩子現在所處的環境,明白其複雜性,我想我們才能開始以坦白、誠實、開放的方式,與孩子談及外界的情形,告訴他說:「嗯,我覺得有必要讓你知道,爸很明白現在外面的世界是怎樣的,我只是要你明白,當你覺得外面世界的壓力讓你難以承受時,可以隨時來找爸談談。」

　　把我們的失敗投射在青少年孩子身上,與自然地和他們談起自己的失敗是截然不同的兩回事。我們或者可以談談自己的失敗,及從中學到的教訓。或者,我們並沒有完全從失敗中走出來,對自己的失敗仍感到非常害怕,而且認定自己的孩子也會犯同樣的錯。

與將自己的失敗投射在孩子身上相反的，我們有時也會把自己的成功投射到孩子身上。即使我們沒有看到自己在工作或身分上的成功，青少年孩子們依然很快就會看出爸媽的成功。他們常常活在我們對成功意念的壓力之下，覺得自己應該同樣地成功，甚至要更成功。

要學習絕對地信任孩子。把自己的缺乏安全的感覺強加在孩子身上，認為他們也有你的弱點是不對的。除非有證據顯示他不行，否則應先相信孩子會做正確的選擇。在家中培養信任的氣氛是有必要的。

有些家庭生活在猜疑的氣氛之中，其所生的後果與那些生活在獨裁或鐵幕國家中的人類似。沒有信任，就得設立警察制度，還需時時質詢，結果導致彼此的關係緊張到一個地步，無法和睦相處，親子間因而產生很大的疏離感。

當然也要記得，有時孩子的確也有理由讓父母不信任他們。我見過許多父母，開始時毫無心機地憑空造出很理想化的互信因素，並以坦誠的態度對待孩子。其後，有的孩子就利用父母的這種信任之心來達到自己的目的。其實親子之間一旦喪失了信任，就很難再重新建立。

當孩子失敗，或失信了，父母應該要有合宜的反應。換句話說，要看孩子所犯的是大錯還是小錯？

比如說，如果孩子從教堂偷了東西，父母就很難理解其背後之原因，你很可能會覺得又傷心又失望。因為偷竊違反了你家庭中崇高的價值觀，你也可能很難諒解這個孩子。而且以後很可能會在爭吵中，一再地提出他的失敗，但這並不是真正寬恕的表現。

孩子一旦辜負了父母的信任，父母往往很難再給他們改過自新的機會。我認為父母受這種事情影響的程度，遠甚於孩子。孩子犯了錯，之後很快就忘了，生活很容易就恢復原狀。而父母卻會繼續落在那已損壞的互信關係中掙扎。

例如，如果一對基督徒父母很信任自己的孩子，而孩子卻在外與人發生了性關係，那種行為觸犯了父母的標準，因為他們認為婚姻及家庭是最神聖的。如果孩子懷了孕，那父母將會更感痛苦。可

能在孩子對付了那罪，生活恢復正常後，父母的心卻仍被啃噬著。他們會覺得自己沒有把孩子教好，並且這件事常會成為他們一輩子的疤痕。

如果父母的投射，是針對青少年孩子未來的期盼而發，那麼就可能對他有益。如果以鼓勵的態度將成功與成就投射在孩子身上，就等於說：「我相信你。」特別在窮困、少數民族的生活環境下，我們父母需給孩子一些憧憬，好讓他能致力於去實現那些美夢。

但在中上階層的社會裏，可能已有太多的成功，我想父母就得小心自己所說跟所做的，並節制自己，將任何的成功憧憬投射在孩子身上。

若存著鼓勵的心態來投射的話，能激勵孩子追求成功及滿足。但如果過度地將自己的成功或失敗投射在孩子身上，只會帶來傷痛與苦惱。在養育青少年孩子的事上，父母可以向職業拳手學習。他們必須知道何時承受襲擊，何時出好拳，又知何時該閃避。

與本段有關文字
導言　對發育中的孩子，你真正的期望是甚麼？
第一冊第二章　彌補過錯
第七冊第一章　你對孩子公平嗎？

何時才讓青少年孩子單獨在家？可以留多久？

■瑞昂　David Rahn

世上沒有任何方程式能幫助我們回答以上這些問題。關係健全時自然就產生信任感，如果兩個人彼此認識，知道對方的要求，清楚對方的長處與短處，並且必須一同面對壓力，那麼彼此的互信似乎就能自然地產生。

孩子們迫切地希望家是個安全的地方，在那裏，他們可以分享自己的恐懼、掙扎及夢想，並且很有把握自己可以得到有愛心、信

心、可以指引他們方向的解答。如果家中已有了這樣的氣氛，父母就能減少一些對信任孩子的危機感，因為他們已經先除去了許多重大障礙。下列是一些可以幫助父母自我分析的問題，對我們可能會有些益處：

● 我們了解自己的青少年孩子多少？我們是否跟得上時代？青少年所承受的壓力使他們時常善變。兒子、女兒這個月與上個月可能已經有所不同。

● 我們對自己青少年孩子交往圈子的了解有多深？對他的朋友呢？還有對他目前所面臨的試探與爭戰呢？如果乖孩子獨自在家，卻被那些貪玩的孩子發現了，他們就會遭受許多壓力。

● 孩子清楚我們的要求是甚麼嗎？他們同意嗎？或者對他們而言，那只是從父母那裏頒下來的聖旨？

● 孩子過去是否表現出真正值得信任的樣子？這不是指一個完美狀態，而是指他們真正有心、盡力去追求完成彼此所同意的目標，並擁有達成此目標的能力。

如果我們對以上問題的回答，都有正面滿意的答案，那麼信任自己孩子單獨在家，不僅是件值得冒險的事，也可能是親子關係中一段很有價值的經驗。要記得，孩子都是從被信任的當中，學到如何變得有責任感。無論是對孩子抱著最好打算的父母，或是對孩子抱著最壞打算的父母，都會發覺，自己的預感最後都實現了。

第四章

裝備孩子照管自己

如何幫助青少年孩子長大獨立

- 裝備青少年孩子，好讓他們離家獨立
- 父母對孩子的最終目標是甚麼？
- 甚麼是我們應當最先放手的？何時放手？
- 如何預備孩子面對「真正的」世界？
- 保持家庭開放的祕訣
- 對我們合適的，不一定對孩子合適
- 空巢：父母現在該做甚麼？
- 如何從大人對孩童的關係變成大人對大人的關係？

　　空巢期實在是令人害怕面對的前景，特別是對我們這些已經圍著兒女與家庭打轉了一輩子的人而言。然而，我們為人父母最終的目標，不正是希望看到兒女能獨立自主嗎？我們為人父母的最後考驗，正是以他們離家後是否真能獨立自主來衡量成果。

　　在這過程中，我們的心態及他們的行為都將受到試驗。我們夫妻間的關係是否只是搭夥養育兒女，還是真的相愛相知更深？我們的生命意義，是來自於孩子們對我們的倚靠？還是因見他們獨立自主的成功，而感到喜樂與滿足？

　　在這空巢的階段裏，一些最深沉的感受會從我們心底浮現。大衛禱告說：「神啊，求你鑒察我，知道我的心思；試煉我，知道我的意念。看在我裏面有甚麼惡行沒有，引導我走永生的道路。」（詩一三九：23～24）這些經歷會真正地鑒察我們的心，並且神也藉著這些經歷，磨練我們走向那永恆的目標。

裝備孩子離家獨立

■歐德蘭夫婦　Ray & Anne Ortlund

當耶穌十二歲大時，他第一次暫時從屬世父親的身邊退開。這故事記載在路加福音第二章中。那次，耶穌留在聖殿裏與教法師談話，他父母以為他仍在同行人當中，於是先走了。等他們回來找到他時，他的母親責備他說：「你父親和我傷心來找你。」（路二：48）

耶穌卻回答說：「豈不知我應當以我父的事為念麼？」（路二：49）。他所指的父並不是約瑟，雖然約瑟是他法定的屬世父親，耶穌所指的乃是神，祂用這方法委婉地將祂屬世的父母與天上的父親分別開來。

我們的孩子也大約從十二歲開始，覺得可以逐漸脫離只聽從我們的階段，而慢慢開始學習向天父尋求指引。如果他們自己有重生的經驗，我們應與孩子討論這件事。我們可以這麼說：「我們知道，從今開始，主在你生命中會愈來愈重要。你愈能從主那裏得到更多的帶領，爸媽就愈會放手讓你自己作主。或許等你到二十或二十二歲時，我們就不必再告訴你該怎麼做了，你將從神那裏直接領受旨意，而我們將只是你的好朋友。」

如果我們常常這樣提醒他們，他們慢慢就會了解，並且也不再需要猜疑父母到底還要管他們多久。他們也將明白，他們並不需要以叛逆的方法來爭取他們的權益，只要讓我們看到他們是被神掌管時，我們作父母的自然會完全樂意逐漸地撤除對他們的管束。

幾年前在一次聚會中，我們認識一位母親，她很像約翰衛斯理的母親。她身邊那五個小孩，坐在教堂裏，像階梯一般，真是可愛。她將她那叫人讚嘆的管教方法講給我們聽。每年，她都為每個孩子訂下一個目標，安排他們讀經禱告的時間、音樂課程、打球遊戲、家庭靈修、家庭社交時間，並且還安排家庭學習之旅。光是聽這完美母親的描述，就已經夠我們累的了。

後來我太太安妮問她：「他們長大後，你打算如何放手呢？」

那母親有點楞住了。安妮又說:「我的意思是說,等他們大一點,你會仍要他們遵守這些編制嗎?」

「當然不會啦!他們會結婚,有自己的孩子。」那母親回答。

安妮又問:「那麼,在那過渡時期又怎麼辦呢?幾年內,你就有孩子將步入青少年期了。你打算如何放手,免得孩子反抗呢?」

「我實在還未想到這一點。」這位母親回答說。

但事先計畫卻是很重要的,在我們要開始對孩子放手之前,應先有一段充足的預備時間。我們必須告訴他們:「有一天你們得離家上大學,而家對你們也會不一樣了。你將是個自主的人,當然你還是會回家,但可能感覺就不同了。」

這種變化發生在我們身上,也發生在我們的孩子身上。孩子們離開家,學到新觀念,發現新事物。例如,他們會發現自己從小長大的教會有一些值得批評的事。隨著他們不斷地出去又回來,他們的批評也跟著改變。他們會變得比較能接納教會,但也會對一些其他事的包容性變小。但每一次回來,他們對這個曾是他們整個世界的家與附近的社區,都有一些新的觀察。這是成長中正常而良好的現象。

孩子們年紀愈長,父母就愈應將他們往外推。有一次我們看到一個卡通片,一隻狗媽媽站在一群小狗面前,似乎雙眼含著淚,帶著一抹傷痛,牠向小狗們說:「時間到了,你們每一個都得找個小男孩,跟著他回家。」從某個角度來說,這也是父母最終得向孩子說的話。

預備孩子離巢是個漸進式的工作,應從兒童時期就開始,而一直持續做到青少年時期。如果我們參考耶穌的例子,那麼可從十二歲起就開始放手。有時我們得多放一點,有時又得再抓緊一點。有些孩子,給了他們自由後,他們會變得愈來愈獨立,有些則需要多一些督導。

如果青少年孩子又回復稚氣,那麼父母就應回過來再多管束一點。如果他們正在長大成熟,那麼父母就應肯定他們,並更多放手。我們總是要記得我們的最終目標是要讓他們獨立自主。有時我們得說:「如果你被主掌管,你就可以慢慢地脫離我們的掌管。但

是，如果你惹了麻煩，我們就得再來管你了。」他們需要知道您清楚他們的去向，並體認到您已看出他們的日趨成熟。總之，他們需要知道您心中的想法。

我有兩個兒子，小兒子比另外三個兄姊小十五歲，是出生時就被我們領養的。幾年前，他自己決定要到三千哩以外的私立基督教高中讀書，那是個很好的學校。但是，在聖誕節放假之前，他就決定返家後不再回去了，因為他很怕那繁重的課業及想家的痛苦。

聖誕節後，我們又等了幾天，然後找了一天帶他去附近的沙漠玩，並一起討論這件事。那天我們玩得很開心，但我們也以很強硬的口吻跟他說：「你真的得回去。我們是不會改變主意的。我們不希望將來你回憶起這一年時，會覺得自己是個半途而廢的人。但你

放鬆韁繩
■連喬詩
Joyce Landorf

我們向來帶著這種心態養育孩子：就是等到他們二十歲時，我們會幫助他們整理行裝，把他們送出家門，好使外子與我能有獨處的機會。雖然我們常這樣開玩笑，但他們知道我們並非說著玩的。他們也知道我們並非出於自私，而是由於愛才這麼計畫。在他們成長的過程中，我們一再地跟他們說，他們長大後將會成為個性成熟的大人，而且等到他們長大時，就不會再跟我們住一起了。所以他們知道自己必須要去建立自己新的家。在他們還小時，我們就開始這樣預備他們。

如果等到孩子十六歲才跟他們說這些事，是不恰當的。有些父母在孩子十六歲時，放掉自己手中所握的韁繩，允許他們自由隨意而行。驟然間，父母變成很放任他們，這對孩子是不公平的。我們應從孩子尚小時即開始準備他們，然後才慢慢地放鬆。

可以等到下個秋季,再考慮回來讀完高中。」

他不過十五歲,可是已經有六呎高。看到這麼大的男孩哭,實在叫我們很難過。

「你們不是當真吧?」他說,但我們回答:「沒錯,我們是當真的。」

到了那天傍晚,他說:「好吧!我回去。我並不想回去,是你們叫我回去的,所以我回去。但我希望你們知道一件事,雖然你們勉強我回去,但我們仍彼此相愛,我們的關係仍像以前一樣。」那句話真是把我們的心都給融化了。

當我們發現小兒子若沒有我們的要求,就不能再堅持下去時,我們就不得不介入,對他提出要求。我們要求他得堅持自己的決定,至少完成那一學年。但到了春天,他居然完全適應了,而且喜歡那學校。現在他倒是很感謝我們當時勉強他留下。

有時候青少年孩子所要求的獨立,超過父母認為孩子自己所能承受的,而這時父母仍需為孩子的決定負責,就可能會造成親子間的緊張關係。例如,如果兒子自己付錢買了車,但文件是父親簽的。那麼,當兒子想將車賣了或重新整修時,應由誰來作決定呢?由於那個決定會影響到雙方,所以最好讓雙方一起來作決定。

或是,女兒想結婚了,父母卻認為她還不夠成熟,這時候父母出面攔阻也是絕對公平的;這時情況也許會變得很緊張,但當孩子還無法負起全部責任時,父母的監管是絕對不可少的。處事的機智、禱告、及彼此間的愛終將會擺平一切的不愉快。

小兒子十八歲時,我們聽到他有一個新的說法:「如果我已經大到可以被徵召入伍,甚至戰死,那麼我就已經大到能做這個跟那個了。」他覺得這個道理在任何事上都可以運用,但我們不得不對他說:「沒錯,你已經夠大可以做這個,但卻不夠成熟到可以做那個。原因是⋯⋯。」有時我們也對家裏的四個孩子說:「你們是歐家的人,或許其他孩子能這麼做,但你們不行。我們不能為其他孩子的後果負責,但我們得為你們負責。我們太愛你們,所以不能讓你們這麼做。」我們的小兒子很能領受這話。

我們應慢慢地把孩子完全交在主的手中,慢慢地預備他們過成

人生活，並且慢慢地讓他們發覺，失敗並非世界末日，他們應當振作起來，繼續向前邁進。在失敗時，我們應認同他們的失敗，並分享自己從前失敗的經歷。如果我們擺出一付絕對成功的樣子，這對他們會是很大的威脅。他們應能從我們身上看到失敗並非人生的終結，而人生也不像表面看起來那麼危險，因為慈愛的父神掌管了我們的成功與失敗。

我們至終的目標是，使孩子長成為敬虔的大人。這一點除非他們實際去操練，否則絕學不到。這就像學游泳一樣，你一定得下到水裏。縱然他們尚無經驗，我們也應讓他們學習成為大人。就像教游泳，我們能在一旁協助，卻不能為他們游。

在孩子的青少年期間，應當預期一定會有關係緊張的時候。若發生了，也不要有罪惡感。這種緊張狀態是惟一能使孩子離巢獨立的方法。我們沒有辦法避免那一鬆一緊的收放過程，也無法避免在其中所產生的熱與摩擦。孩子一定會有不同意見的，他們會覺得自己比父母想像中來得成熟。這些都是既痛苦又正常，甚至健康的現象，也就是因為這些因素，孩子遲早自然就可以長大離家獨立了。

總之，我們要明白以下幾點：早早溝通，告之分離的時刻即將來到。在溝通的過程中，要常常提醒，每個人都會遇到關係緊張的時候。並且，作父母的要一再告訴孩子，我們覺得他們表現不錯，日後一定會長成一個成熟的人。

與本段有關文字
第五冊第三章　何時可以信賴自己的青少年孩子？
第五冊第四章　獨立戰爭
第五冊第四章　如何幫助孩子獨立？

保持一個開放的家

■畢爾士　V. Gilbert Beers

作父母是一種很奇怪的職業。我們最重要的職分，就是盡力去做，直到使自己失業為止。我很難想出有任何其他職業是這樣的。你呢？

我們作父母的，全心致力的工作，就是（或應是）讓孩子慢慢地獨立，愈來愈不倚賴我們。

想想作父母的整個過程，有時會讓我們心理不平衡。我們為了盡父母的職責，因而愈來愈介入青少年孩子的生活。但正當我們更介入時，我們同時又得漸漸鬆手。我們做得愈好，他們就愈不需要我們。

讓我們這樣說吧！衡量我們作父母是否成功的最後標準，端看我們是否建立兒女良好的獨立性，並且裝備了他們去過自主的成人生活。我們若想竭盡所能將此事做好，就得花上許多時間，許多禱告及關注，並更深地介入年輕孩子的生活當中。

乍看之下，這兩者似乎彼此矛盾，實則不然。更深刻的介入意味著，在我們付出更多的愛與犧牲的同時，也把孩子與自己之間的線漸漸地放鬆。放鬆那線並非是放棄孩子，而是在青少年孩子的生命中，培養屬於基督徒的成熟，並重新調整他的目標與精力，著重在做一個成熟的大人，過好基督徒的生活。

介入孩子的生活是一個建造的過程，在孩子逐漸長大為成熟基督徒的路途中，父母要作他的典範、引導與輔導。我們也會與孩子一起長進，對為人父母這至高之角色的看法日臻圓熟。當孩子漸漸成熟，進入基督徒大人時期，我們對他們長大成熟應負的責任也愈來愈減輕時，我們心中就會愈來愈高興。

有甚麼能比看到自己孩子長成為一個有責任感的青少年，進而長大成為成熟的基督徒，更叫人興奮滿足的呢？又有甚麼比知道自己在這過程中，扮演著舉足輕重的角色，更叫人覺得有價值呢？有甚麼比看到孩子長成自己心目中的理想大人更為美好的呢？

有些父母老是認為孩子長不大，總免不了需要倚賴他們，這樣的父母在孩子邁向獨立時，會面對極大的難處。其實父母的工作，應是竭力改變我們自己及孩子的想法──對我們應是減少讓他們來倚賴，對他們則是使之更為獨立。

　　獨立自主並非表示孩子會比較不愛你，或比較不把父母放在眼裏，又或比較不知感恩。它只是意味著，我們的工作已趨向完成，而他們的工作則趨向要負起更多的責任。

　　在這訓練的過程中，父母的態度應著重在家庭生活，及教導青少年孩子建立對自己將來的家庭之看法。要離開一個像監獄一樣的家是很容易的，如果一個孩子想離開，不是因為他已成熟可以離家了，而是因他想逃離那不愉快的環境，這樣子把孩子送進成人生活就是錯誤的作法。

　　如果你的孩子大一點就急著想離家，因為家中常有緊張氣氛的話，那麼離開家後，他很可能也無法活出一個成熟基督徒的生活樣式。如果一個家庭充滿了愛及彼此的肯定──在夫妻關係及親子之間──那能使年輕的孩子，對自己將建立基督化家庭的想法感到很興奮。

　　基督徒家庭應是青少年孩子學到家人彼此尊重，彼此相愛的地方，那也該是一個有基督為其家中活躍份子的地方，並且祂能繼續成為孩子日後新家庭中的一份子。

　　這樣的基督化家庭是開放的家庭，沒有監獄的牆來限制孩子，所以他們不會誤以為自己是被關在裏頭。一個開放的家庭中，有愛、有溫暖、有彼此的接納及肯定，孩子自然會被其磁力中心所吸引，並會希望自己日後也有一個同樣的家。這家，在他們生命的風暴中，會是個避風港。

　　一個開放的基督化家庭，會是個孩子能很驕傲帶朋友，或日後帶自己家人來訪的地方。它似乎在微妙地宣告說：「當我必須離家時，我很平安地搬出這個家。但我又很樂意隨時回來，享受以基督為中心的溫暖吸引力。我也知道家人會以溫暖的膀臂來歡迎我。」

　　開放的家，張開的雙臂，在這種環境下長大的孩子，一定會想在合適的時間裏，依樣建立出一個自己的家庭。

與本段有關文字
第一冊第四章　撥空陪孩子的重要性
第四冊第一章　讓家成為一個溫暖的窩
第四冊第二章　不同意中仍保持和諧

高舉式的教養方式

■歐德蘭夫婦
Ray & Anne Ortlund

不久之前，我們從宣教士朋友戴莎莉（Sally Folger Dye）分享她的碩士論文時，學到三個有效改變他人行為模式的技巧。她稱之為：「訓誡式」、「輔助式」及「高舉式」。她談的其實是輔導的技巧，但我們立刻就想到可用來教養孩子。

「訓誡式」對兩歲的孩子最有效：「乖乖聽話，不要頑皮，不然要打屁股。」這種方式簡單、直接，對學前兒童最有效。

「輔助式」則對小學階段的孩子有效：「我要為你訂下目標，並幫助你朝那目標走，達成那理想。若你能做到，我就獎賞你。」換句話說：「每天把床整理好，我們就給你畫星星獎賞你。或是把下列六件事做好，就可以贏得一個童軍徽章。」

而「高舉式」則可用在年紀較大的孩子身上。那是比較深、比較難，但一旦成功，也比較令人開心。其方式即：「我要謙卑我自己，伏在你下面，把你舉起來，好讓你能做到所當做的。」使用這方法是很冒險的。我們有可能失去了權威，我們不只把孩子平等視之，甚至視之超越我們。當他們看到自己佔上風時，可能就會想佔我們的便宜。我們告訴他們：「嘿，我知道你的弱點，因為我也有。若你為我禱告，我也會為你禱告，讓我們彼此幫助，在基督中長大。」

「高舉式」是耶穌選擇來對待我們的方法。祂降低自己（這就是腓立比書第二章所講的）。事實上，祂採取了比我們任何人都低的地位。祂這麼做時，完全明白會被人誤解，或有被佔便宜的危險。但是祂還是這麼做了，因知道這種作法帶有能力，會軟化我們、謙卑我們並使我們悔改，渴求改變。這在孩子們身上，也能有同樣的功效。讓我們丟掉自己的面具吧！

獨立戰爭

■康威夫婦　Jim & Sally Conway

　　如果您身為父母的目標，是要幫助孩子長大成熟，那麼在他們成長的過程中，您就會試著教他成人所需的一切技巧。如果您已這麼做了，那麼孩子進入到青少年期時，獨立自主就不會是個很大的問題。在許多方面，他們可能都已成熟可以獨立了。

　　這件事不是說：「好啦，你現在十六歲了，我要開始教你如何獨立。」如果您曾教孩子如何處理錢財，選購、保養自己的衣服，買雜貨，整理自己的房間，與人交接，過屬靈生活，平衡工作與休閒，並且一直給他們挑戰練習的機會，那麼，您已經在幫助孩子學習獨立了。

　　我們的目標，是等女兒們成熟到可以負起責任及運用自由時，就逐漸給他們獨立自主權。我們在這方面的教導，其一就是教他們如何理財，也就是學習如何儲蓄及使用金錢。起初就是在每個孩子抽屜中放幾個小罐子。一個罐子是放主日學時要奉獻的錢，另一個是參加女童軍的費用，還有一個是為其他籌款用的，最後一個則放自己可以花用的錢。

　　為了鼓勵他們儲蓄，我們經常相對存入他們已經積下的錢。如

果他們存了五塊錢,我們就再給他們五塊錢。他們也有禮物基金,以便有錢買生日禮物。我們就在這種讓他們自己存錢、自己花用的過程中,教導他們獨立的功課。

等到他們拿到駕駛執照時,我們讓他們先在城內開車,以便習得經驗。但我們彼此有個約定,在他們滿了一定時數的上路經驗之前,不能載任何人。我們不願在他們駕駛經驗尚不足前,便去載其他孩子。她們學到,在有開車自由的同時,也應負起做個安全駕駛的責任。我們也差他們去辦些事,這使他們有許多機會開車,同時也滿足了他們探險的需要。我們曾准許女兒好幾次開車到三小時車程外的大學,探望她姊姊。

還有一個方法可以鼓勵他們獨立的,是給他們一張購物清單,叫他們去雜貨店買東西。如果有些正好缺貨,他們就得學習選擇合適的代用品,然後我們就肯定他們是否有能力作好的選擇。或者,他們也能負責保養車子。而且我們應把這些當作特權,而不是平常指派的工作。

當我們加蓋房間時,外子教女兒如何安置夾板牆,後來她們也幫著他蓋了個壁爐。她們知道如何保養車子、剪草、修樹叢、並養花草動物等,她們也學會烹飪及打掃房子,這些能力激發了她們的自信。如果孩子感到你在催促他們並鼓勵他們獨立時,他們就不會向你爭取獨立。

但在幫助他們獨立的同時,也不要忘記他們仍需一些限制。有時候我們得盡力禁止他們做某些事。從一開始,我們就告訴女兒們,我們不准她們使用毒品,開快車也是不准的。

我們告訴她們藩籬設在那裏,在藩籬之內,她們可任意徜徉,做她們想做的,但卻不可越出一步。不准的原因,倒不是因為我們的命令,乃因為越過藩籬會扼殺她們將來的潛力或傷害到她們。

或許我們不應只教導孩子獨立自主,還需要教導他們「彼此倚賴」。在青年期我們應強調對彼此的需要,及彼此的關懷。獨立,終究可以發展成一種逃避。等你學會了獨立,並知道自己的價值時,就應學習如何利用自己的知識、技巧去幫助別人。對我們來說,青少年期是很有樂趣的一段時間,女兒們能與我們一起構思,

而我們能從大人的角度與她們談。她們在關懷別人方面有很多的參與,並且對許多不同的人都很友善。

有時候我們對某些人的第一個反應是:「別跟這些孩子來往,他們會帶壞你們。」但是女兒們把他們當人來賞識,著眼在他們的長處上,然後能伸出援手幫助他們。我們常在她們電話交談中,聽到他們在那裏帶朋友讀聖經,或一起探討生命的問題。這也促成我們與孩子有朋友般的關係。她們會跟我們分享他們的討論,並詢問我們的看法。

有些父母因為自己尚未想清楚,所以當孩子開始與他們「彼此倚賴」時,心中會有點抗拒。父母本身若有安全感,就能以客觀的眼光來看自己與孩子之間的關係,並給他們成長的自由空間。

身為基督徒父母,我們總是極力希望孩子變好。有些父母對孩子很嚴格,以為嚴格的管教可以保證成功。然而嚴格的規條及作風並非上策,嚴峻並不是使孩子成熟的方法。根據我們家的經驗,我們發覺使用彈性並開明的方法,反而更有助益。

與本段有關文字
導言　正視青少年的挑戰
第五冊第四章　裝備孩子離家獨立
第五冊第四章　如何幫助孩子獨立?

破繭而出
■青年歸主編輯室

毛毛蟲作繭,變成蛾之後,帶著美麗的翅膀破繭飛出。這是很自然的現象,牠們所需的只是時間及合適的環境。我們的青少年孩子也想破繭成為大人,展翅高飛。只是孩子並非昆蟲,而且在此過程中,父母也參與有分。

身為有愛心的父母,我們在心智上知道有一天,兒子、女兒會離家成人,這也是我們最終所有管教、養育的目的。但在感情上要鬆手實在很難。那種臍帶相連的牽繫,給

我們價值感及活下去的希望。

　　還有,我們也怕他們失敗,會受傷,或重蹈我們的錯誤。這些恐懼都是很正常的,但我們仍得讓他們離去。

　　在這「切斷臍帶」的過程中,主要的兩個重點就是「情誼」與「信任」。「情誼」意指真的了解孩子,了解他們的長處、短處、夢想,恐懼、慾望及對我們的感受。如果情誼深刻,我們就能坦誠地向他們表達我們對他們的擔憂,我們也能預備好讓他們離去。距離與年紀並不會打破愛的聯繫,知道這點,我們心中就能平安。

　　「信任」意指給他們責任,卻不是隨時查問他們的一舉一動。信任也是指避免說些令他們自卑的話,而讓他們有機會作「大人」。但這也不是發給他們任意妄為的許可令,而是給他們原則,並使他們了解只要按規矩而行,他們就能贏得自由。(例如,告訴他們若知道自己將會遲歸,就先打電話回家。)如果指派他們工作,就定出一個時間來檢查成果,這樣孩子心理有預備,就不會覺得是被嚕嗦。信任是一點一點慢慢建立起來的,卻可能毀於一旦。讓我們一起來建立這種信任吧!

孩子應對他的選擇負責

■柯艾芙　Evelyn Christenson

記得有一天女兒問我說：「媽媽，當年妳做女孩子時所認為的罪，今天仍是罪嗎？」我說：「關於這個，神的話是怎麼說的呢？讓我們一起看看你現在靈修所讀的經文。」

她正在讀以弗所書第一章。於是我們坐下，靜靜地一起讀，直到第八節，神讓女兒停了下來。那裏談到了神的智慧。她抬起頭來對我說：「神告訴我，我不是按著我所想的，或是你所想的被審判，而是按祂所想的被審判。」

她說的一點都沒錯。如果青少年孩子的意見與父母不同時，父母應當體認到，如果孩子已是基督徒，而神也已在這孩子生命中作工，那麼就讓神居首位。如果只因父母認為孩子不對，並不代表他一定不對；這乃是表示，我們應一起找出甚麼才是對的。要找答案，就得回到聖經。我們雙方怎麼想並不重要：我們可能都對，也可能都錯。

當父母帶領孩子一起回到聖經去找答案時，就是在教導孩子，神的話才是答案之所在。要父母這麼說並不是件易事：「我的看法不一定就是對的。讓我們回到神的話，看看神怎麼說。」但事實就是事實，只有神的話才是最高權威，而非父母的話。

所有的父母回顧過去時，都會懊惱，但願自己不曾用那些方法處理事情，或不曾說過某些話，或不曾作過那些決定。因為父母可能會錯，所以必須倚賴神的話，而不是信任自己那脆弱、不完全的人的智慧。

當然，有些情況可能是較模糊的，神的回答不一定是對或錯。在這種情況下，父母有責任跟孩子談，與他們一起禱告，也為他們代禱。這在我的青少年孩子身上發生過好多次。我的禱告是：「神啊！以你的方法教導這孩子。如果他做的是你眼中看為錯的事，請責備他，在生活中給他教訓，讓他難過得站立不住。但如果那是你要他做的，那麼主啊！請給他生活中有平安及確據，並支持他。」

有些時候，我單單只需這麼說：「這是孩子的事，而不是我的事。」父母應體認到，是孩子自己要向神負責。這不是說我們不跟他們說，不為他們多多禱告。我們要讓他們知道，我們對他們的愛，當我們不贊同他們所做的時候，要讓他們清楚知道我們的立場是甚麼。

錯就是錯

有時候，父母與孩子一起回到神的話語上，然後很清楚明白父母是對的。在這種情況下，如果我們已立下了基礎，讓孩子明白順服神話語的重要性，就會大有助益。這時我們可以指出，孩子是神的兒子，長大以後就是要順服神。我們可以提醒孩子，順服神反會使事情為他效力。然後，我們所能做的，就是禱告並交託給神。

青少年孩子可能會悔改並順服，但這事是沒有保證的。畢竟，我們自己也並不總是順服神，即使神已經告訴我們，我們也仍會不馴地固執己見，去做那違反神旨意的事。

因此，我們應記得，就像我們自己一樣，孩子有自由意志，他們也會違背神。就算他們知道神的心意是甚麼，他們仍可能違逆。或者他們扭曲神的話，而從屬世的角度來看，說：「這是我覺得對我好的，我不相信那愛我的神會要我那樣做。」

有些父母問我，他們那已長大的兒子或女兒正與人同居，而他們要一起回來看他們，怎麼辦？如果我在那情況下，我會向孩子們解釋，在我們家有家規，也就是神的規矩。如果他們要完全違逆神的旨意而活（同居顯然是其中一例），我身為父母，在我家外面，我不能做甚麼。但來到我家，他們不能如此做。父母可以為他們禱告，輔導他們，愛他們，但卻沒有必要在自己家中接納那種行為。

很重要的一點是，父母要記得最終是孩子自己要為自己的行為向神負責。很多時候，作為父母，我們喜歡扮演神的角色，而給人印象好似我們得負責到底。但即使我們想如此做，我們仍然不是那個該負責任的當事人。約在孩子十歲時，我們就已向他們講明，我們已教了他們甚麼是對的，他們也知道甚麼是對的。如果他們仍要做不對的事，那是他們的事，神也不會要我們作父母的為此負責。

與本段有關文字
第三冊第二章　彼此尊重
第四冊第一章　幫助孩子發現自己的長處
第四冊第一章　孩子不是翻版
第四冊第二章　不同意中仍保持和諧

教導孩子作正確的選擇

■麥當諾　Gordon MacDonald

　　為人父的我有一件事是應當做的：提供孩子一個環境，讓他們能長大成熟，並作出正確的選擇。他們所作的選擇我不必負責。我所需負責的，只是要使他有自主的能力去作好的選擇。

　　我們都看過許多家庭，父母非常好，而孩子卻像小惡魔一般，我們也看到一些非常糟糕的家庭，而孩子結果卻像聖徒一般。從孩子的表現來責怪父母，就好比責怪神，為甚麼不是每個人都是好人一樣。

　　當神造我們時，祂給了我們祂的形像及一些能力與恩賜。至終而言，祂給了我們選擇的責任。我想父母所做的也是這樣。我們教養孩子，就是要使他們懂得作正確的選擇，而整個訓練過程需要二十年。關於這件事，我們家有個小小的特殊用語，那是從女兒七年級時開始的。當時她在考慮應留在公立學校呢，還是上本地的基督教學校。從雙方面來的同儕壓力都很大，因此她很難作決定。她感到如果去這個學校，有些朋友會不高興；去那個學校，另一些朋友又會不開心。

是鬱金香還是橡樹？

　　某週日的晚上，我帶她到客廳，問她說：「寶貝，讓爸這樣來看你的問題吧：男孩和女孩有時候像鬱金香，有時候又像是橡樹。如果走道上有棵橡樹，你會繞過它而行，因為它很壯，可以自己站立得住。但如果是棵鬱金香，有時候我們就得圍起一道籬笆，以防

它萬一被人踐踏。我們每天都需要知道，自己今天的感覺是像鬱金香還是橡樹。我想知道你現在是在甚麼情況下，你是棵鬱金香呢？還是棵橡樹？」

她說：「爸，我是棵鬱金香。」

於是我說：「好！那麼神預備了爸跟媽做你的籬笆。爸的意思是，如果你是鬱金香，那我們就打算幫助你作這個決定好來保護你。我們所能看到的或許比你現在所能看到的大得多。還是不要讓你單獨作決定，我們一起來作決定吧！」她覺得這很有道理。

從那次開始，在往後的日子裏，好幾次她掙扎作不了決定時，我們都使用這句用語。我會再問她一次，她是鬱金香還是橡樹。愈來愈多次，她覺得自己是橡樹了。那也很好。如果她來對我說：「爸，今天我覺得像鬱金香。」我就會說：「好，那麼讓我們圍上籬笆吧！」

我想青少年孩子需與父母有這樣的關係。女兒應知道，她有時可以回到小女孩的樣子，有時又可以像個大人，而她的父親會跟著她變。我想這是過去這些年我們在家裏所學到的。在合理的情況下，我們讓他們能是小孩，又是大人。我們會選擇從最合宜的立足點上來對待他們。

選擇性地放手

我想，很重要的是，父母要尋求我所謂「選擇性地放手」的作法。我們學習分辨何時孩子會從鬱金香變成橡樹。他們的發展不會都很均衡，有時只在生活中某些特別方面。有些是在十四歲，有些則在十七歲，每個孩子，每個家庭都不同。這當中有幾點需要注意：

第一，不要因為其他家庭所做的或所不做的，而使父母受到威脅。在我們孩子們十、十一、十二歲時，我們就對他們說：「聽著，不要以為你朋友的父母做這個或那個，我們就會改變我們的意思。我們要以對我們最好的方式來管理我們家。沒有哪個家庭能左右我們的選擇。」

第二，家中沒有一個孩子能成為父母用來對待其他孩子的標

準。我准許女兒做甚麼,並不代表我也會准許兒子做同樣的事。我用的是選擇性放手的方式。如果孩子表現得成熟,他就會使我更多對他放手。讓我舉個幾年前的例子。當馬可八、九歲時,我注意到,我從來不需要叫他去睡覺。不管是否有人提醒,他總是在同一時間上床。幾乎有六、七年之久,我們沒有必要為馬可規定一個上床時間,因為他很早就表現出在這一方面負責的態度。有時候,當他決定晚睡二、三十分鐘時,我也不會說甚麼,因為知道那不過是他破個例而已。別的孩子來我們家過夜後,會回家告訴父母,說我們沒有規定上床的時間。那父母就會來問我們,是否我們孩子得在一定的時間內上床睡覺。我們就告訴他們,我們從來不需規定上床時間,因為孩子們自己會這麼做。

我覺得孩子若在不同的方面表現出成熟的個性,父母就應盡速在那方面放手,甚至應提早百分之五或十。我們在自己兩個孩子身上都試過,我們容許他們贏得權利與特權。只要他們一靠近標準,我們就把他們所應得的特權賜給他們。

與本段有關文字
第四冊第二章　建立終身受用的價值觀
第四冊第三章　教導孩子作正確的決定
第四冊第三章　教導孩子選擇益友
第四冊第四章　明白神的旨意

如何幫助孩子獨立?

■沙亭　Dan Sartin

十七世紀時,在蘇格蘭一百一十英哩的海外,有一個繁榮的英國海島,名叫聖基爾達。它的生活方式頗受地形所限——那是塊高地,周圍是高出海平面二百呎的危崖斷壁。

但不知為甚麼,那些岩石吸引了成千上萬的鳥,來此築窩在岩

石牆基上。很自然的,這小小的海島就以捕食及出售小鳥作為經濟重心,那些羽毛則售予偶而路經此島,要往英國或其他地方的船隻,其價甚高。

島民於是以爬岩著稱,並擅長捕捉這些鳥類。他們的做法,是在峭壁上綁條繩子,然後垂下去捉鳥。

一到十六歲,男孩子就已是爬岩老手了,蠻有膽氣、技巧。如果他們完成了他們所謂的「女王石典禮」後,就被視為成熟可以結婚了。那些年輕的孩子被規定要單腳踏在二百呎高的斷崖邊上,其下則是猛浪澎擊的崢嶸巨石。他們得保持這個姿勢,直到朋友們滿意為止。不用說,有些人失敗了。

這個爬岩傳統的故事,給了我們一個很鮮活的例子,讓父母知道何時「不應」把責任交給孩子。這裏闡明了為何我們作父母的,應負責掌管幫助孩子獨立的事。如果我們不鼓勵他們尋求獨立,就會有別人取而代之。如果孩子從你得不到成為大人的認同感,他們就會轉向其他人,向那些人尋求肯定,從心理上來說,這也就是等於把孩子放在那危崖上。

那麼,我們從何可以找到好的方法或計畫,來幫助孩子成為獨立的大人?我覺得以下幾個步驟是有智慧且值得推薦的:

第一, 應盡力了解自己,並在孩子面前活出最成熟的成人典範。如果我們活出值得欽羨的榜樣,就能多影響他們幾年。

第二, 要樂意幫助他們認清作大人的責任。讓他們開始看到成為大人後,所要負擔的責任。相信您至少會涵蓋以下這些項目:處理預算、個人修飾、工作負責、保持健康與運動、屬靈成長、社交禮儀及與人交接、認清並改正弱點、學作決定、處理性生活,並調適社會快速發展所給我們的壓力。

一旦小心地決定了那些是重要的,是需讓孩子明瞭的地方後,就應逐一慢慢地讓他們看到這些層面。孩子愈長大,就愈來愈不需要我們提供規格與控制了。因此您就要開始使孩子負起責任,並幫助他們擔當比較困難的工作。

幫助孩子負起責任的祕訣,第一,是容許他們與您討論,若是可能,最好是看過您做。這應是有創意的學習經驗,一起做某些

事,希望孩子藉此能學到功課。

逾越節晚餐的傳統,就運用了這個原則,來幫助孩子們記住出埃及的故事。在整個過程中,孩子都有深入的參與:從找來發酵的餅,到由最小的孩子提出有關事情的傳統問題。經驗過一次後,很少孩子會忘記整個演出情形。

波爾(Ken Poure)在「父母們,給孩子一個機會!」(Parents, Give Your Kid a Chance)一書中提出一個建議,每年給孩子一個「生日盒」,賦予孩子某些方面的責任。其意義乃是從生活的大層面中,漸漸地把所有的責任交接下去。每個生日帶來一個新的盒子。十四歲盒子的內容,取決於孩子對十三歲盒子的處理如何。盒子的內容則由父母與孩子一同來決定。

父母在「生日盒」中放的,除了有給孩子的「全部責任」(對這些方面他應負起全責)外,同時,也有一些「部分責任」(仍需我們幫助孩子完成的一些責任)。經過一段時間後,每個「部分責任」就應放入「全部責任」的盒子內。從那時開始,責任就要全歸在孩子身上,父母所擔當的,只是孩子跌倒時,扶助他的特別角色。在下面您會看到一套可以幫助您孩子一直長成到獨立成熟之大人的建議方案。其中涵蓋了初中(十三至十五歲)、高中(十六至十八歲),並概要地介紹一些實用的方法,使父母從自己的權柄中開始對孩子放手。

從十三歲生日開始,在青少年期中的每一年,父母應當做三件重要的事。第一,下定決心找時間與孩子討論,以便研究、學習他或許不很明白的事(稱之為「坦誠時間」)。第二,定出次年應與孩子分擔的責任(稱之為「負軛盒」)。第三,定出孩子所應負全責的責任(稱之為「生日盒」)。請注意,在每個分齡下所列出來的責任,只是建議而已。要記得,每個家庭、每個孩子都不同,而不同的孩子也需按不同的步調成長。

與本段有關文字
第四冊第三章　給孩子們成長的空間
第五冊第三章　何時可以信任自己的青少年孩子?

第五冊第四章　裝備孩子離家獨立
第五冊第四章　獨立戰爭
第五冊第四章　何時應開始放手？

協助青少年獨立自主的建議方案

初中組（13-15歲）

十三歲

這個生日盒非常重要，因為這是第一個。應以特別的方式呈現出來，或是在派對中，或是晚上的特別聚會。父母與孩子應事先一起決定盒中的內容。

坦誠時間（即家庭討論時間）

父母應察覺孩子在此階段，生理及性別的成長及改變，並應預備好與他們談關於性方面的事。諸如，與他們一起讀薛德（Charlie Shedd）所寫的「嬰兒從哪裏來」（The Stork is Dead），或杜博生（James Dobson）寫的「準備進入青少年期」（Preparing for Adolescence），這些能提供系統的討論。重點乃在於幫助孩子能自在地找您幫忙或尋求建議。在性方面，要提供他們足夠的資料，以便幫助他們作明智的選擇。

負軛盒（父母孩子共同分擔之責）
- 保養剪草機或家中常用的機件
- 個人的修飾及衣著
- 處理金錢及作個人預算
- 家庭查經

生日盒（孩子應自負全責）
- 設計並重新佈置自己的房間
- 打理庭院
- 處理雙方所同意的零用錢

十四歲

如果孩子達成了上個生日盒中的責任時,那麼盒中內容就要擴大到可以包括其他方面。如果沒有盡到完全的責任,那麼就要暫停權益及自由。孩子若濫用自由,或不負責任,父母不應寬容。孩子們應體認到,每個錯誤都有其後果,這是學習負責的過程中很重要的一個因素。

坦誠時間

在這個階段的孩子,會面臨到社交上的困惑,因此這個階段是可以與孩子討論一些有關表達,與社交禮儀方面書籍的良機,例如「男生魅力手冊」(Man in Demand)(給男生)及「使你更迷人」(Christian Charm Course)(給女生),都是很好的讀物。

負軛盒

- 關於團體社交活動的決定
- 修護保養家庭用車或家中常用的機件
- 訂定家庭收支預算
- 計畫晚餐

生日盒

- 保養剪草機件及庭院
- 衣物的選擇
- 處理個人每週預算
- 週間晚上至遲九點返家,週末則為十點。

十五歲

許多州允許青少年在這個年紀拿駕駛執照。所以父母需要積極參與協助青少年孩子,學習有關行車安全及責任的事。

坦誠時間

很多孩子因為對一些與自己沒有切身關係的事不感興趣,所以會在這個年齡離開教會。此時是與他們討論信仰真實性及背後原因的最佳時機。小保羅(Paul E. Little)的「你信甚麼」(Know What

You Believe）及「你為何要信」（Know Why You Believe）是最合宜討論的書籍。

負軛盒
- 由父母作陪學習開車
- 平衡家庭收支
- 團體約會
- 計畫全家一起渡假
- 打工

生日盒
- 考過駕駛執照筆試
- 選擇朋友
- 平衡個人每月收支預算
- 帶領家庭靈修，為期兩個月。
- 限制打電話時間
- 保養家庭用車，輪換輪胎（在指導之下），並在一年之中換一次機油。

高中組（16-18歲）

十六歲

上高中對年輕孩子來說，是既興奮，又膽怯的事。父母對十六歲孩子的感受應敏感體諒。很重要的，是要了解他們所面對從朋友而來的壓力，及所有年輕人都企盼被接納的心理。在這所有的困頓中，孩子需要從父母那裏得到的是支持，而不是責難。

坦誠時間

在這階段，學習與人交往是非常重要的事。在家中討論交朋友，以及如何對待他人等，都是很寶貴的經驗。蓋茲（Gene Getz）的「彼此建造」（Building Up One Another）是探討這方面很好的資料。

負軛盒
- 讓孩子觀察您如何為車子登記，檢修並買保險。
- 幫助孩子找一個鍛鍊身心的營會，以培養他的自信。
- 在一年中，讓孩子與您（或伴侶）一同上班幾天。
- 在年中某一特別時間內，讓孩子選擇一項家庭事工，並付諸實行。

生日盒
- 平衡家庭收支，為期三個月。
- 在一年中，選擇參加一個培靈會。
- 自己開車
- 雙對式約會
- 在一年中，找時間與家人個別有些特別活動。
- 在任何教會或公共機構中服務四十小時。
- 週間晚上至遲十點返家，週末則為十一點。

十七歲

到了這個年紀，父母培養孩子成熟、獨立的職責已差不多完成。孩子此時比較專注在尋求未來方向的事上，在這段困惑的時間中，最重要的是寶貴的耐心。父母可以在一些較困難抉擇的事情上，協助孩子考慮到更多層面。

坦誠時間

這是討論如何尋求神的旨意，作好的決定及安排生活優先順序的最佳時機。我們很容易找到許多有關這方面的好書。

負軛盒
- 協助家裏房屋保養
- 到大學觀摩參考
- 自己到銀行開儲蓄或支票帳戶
- 尋找打工機會

生日盒

- 自己支付至少一半的社交活動費用
- 協助家中開車的需要
- 平衡自己的銀行帳戶
- 找一個自己服事的機會
- 一對一單獨約會
- 週間晚上至遲十點半返家，週末則為十二點。

十八歲

對許多孩子而言，這是他們在家的最後一年。大學、婚姻、工作，很快地就會把他們捲進自己獨立自主的小天地，所以應好好珍惜這短暫的時間。

坦誠時間

孩子在這年想得最多的，就是高中畢業這件事。這是討論婚姻、孤單，及如何應徵工作的良機。史德佛（Tim Stafford）的「畢業之後」（After Graduation）是本好書，談及這個年紀的孩子所關心的許多事，並能促進全家一起討論。

負軛盒

- 協助報稅的準備工作
- 資助購買車子（對半分？）
- 學習如何洗熨衣服等
- 學習烹調
- 協助支付部分大學費用

生日盒

- 打理家務
- 負責自己車子的汽油、登記、保險及保養等
- 選擇並保有一個工作
- 選擇一間大學或職業技能
- 週間晚上至遲十一點返家，週末則為凌晨一時。
- 上教堂

從十九歲起直到離家獨立

在美國，大部分的法定標準將這個年紀的人視為成熟的大人。這個年紀的孩子的特性是對剛剛擁有的自由感到非常興奮，但卻又極懼怕失敗。這是他們一生中最重要的時機之一，因為這是他們第一次完全很脆弱地面對一切不良的影響。以一個剛剛成年的大人身分，他們必須靠自己站立起來。

青少年成熟以後，對朋友喜愛的程度增加，這是不爭的事實。然而，並沒有證據顯示，這種增加是因減少對父母的喜愛而造成的。所以，對較大的青少年來說，他們更多在乎自己的朋友，但這並不表示他們在乎自己父母的程度有任何的減少。

孩子一旦離家上大學或結了婚，父母應儘可能地幫助他們將住處弄安定，在信仰上鼓勵他們，並在他們所選擇的生活上，給予許多正面的反應。如果他們顯然犯了錯，那麼就應給予引導。如果我們曾以開明、有彈性的態度教養孩子長大獨立，通常他們會歡迎我們的指導。

此時孩子在各方面獨立的培養已幾乎完成，如今他們在父母家中已不再是小孩子，而是另一個大人了。這時，許多父母都會問自己的孩子何時打算搬離家庭。這麼問可給予孩子自由，讓他們好好考慮自己的未來動向。如果在孩子成長過程中，父母彰顯了愛，那麼孩子也會以真愛回報之。如今，正是父母可鬆口氣，坐觀成果的時候了。

總括來說，這個幫助孩子長大成熟的建議方案，並非是一個完整的指南。這只是用來當作工具，經調整之後，才可運用在不同孩子身上，盒中所列每個職責，應在父母孩子的慎選之下作取決。但誠如上文所提及的，要記得，每個孩子都不同。以上根據不同年齡所建議的盒子，可能應根據孩子年齡與環境的不同，而作調整。或許某個孩子在某項責任上，需要超過一年的協助，而另外一些孩子，可能只消幾個月。

杜博生（James Dobson）博士在他的「管與教」（Dare to Discipline）一書中曾經提到，父母應從孩子身上得到自由，好讓孩子也從父母那裏得到自由。方案中將「部分責任」與「全部責任」混在

一起的方法,應該可以激勵孩子自動自發。

父母努力下的最後成果,應是培養出一個能負起生命職責的年輕大人。而對作父母的來說,它將會帶給您與孩子間持續不斷的關係,直到未來。

身為父母,我們應衡量自己是否可以真誠無偽的態度處世待人,我們應追求作自己孩子的好榜樣。但最重要的是,我們應幫助孩子看清自己獨立時所應負起的責任,但願當您教孩子負起責任之軛時,能花上夠長的時間,使他們習慣,而學到完整的功課。

何時應開始放手?

■沙亭　Dan Sartin

遲早有一天,我們得跟每個孩子說:「從今以後,你得開始為自己負責,因為你已經不是個孩子了。」

在聖經時代,嬰孩通常在二歲半至三歲間斷奶,而在十三歲左右成為擔負責任的大人。因此,男女孩子在年紀很輕時就結了婚。後來,猶太拉比規定女孩子結婚的最低年紀為十二歲,男孩子為十三歲。

青少年期似乎是從上世紀工業革命以後才有的現象。從那時開始,男孩子的法定結婚年齡,從十四歲提高至廿一歲,女孩子則從十三歲提至十八歲。在這同時,性發育期卻從十八歲提早為十三歲。也就是說,今天的青少年孩子在他們被視為成人,或可自由結婚之前約五至七年,性別發展即已成熟。

聖經中,沒有特別的希臘字或希伯來字可用來描述青少年期。其中常用來稱呼年輕人的字,翻出來就是「男童」、「少年人」或「年輕人」。那字可以是指剛斷奶的小孩子(撒上一:24),或也是指適婚年紀的孩子(創三十四:19)。

柯特斯基(Ronald Koteskey)在「早熟抑晚熟」(Growing Up Too Late, Too Soon)一文中提到:「一直到最近為止,過去每個人當

負起責任的年紀是十二或十三歲。希伯來男孩在十三歲時就舉行成年禮,並要在行成年禮時,在會堂中唸一段律法書,作為他們成為大人後的第一個宗教儀式。羅馬男孩從六、七歲開始,就經常陪父親到農場、戰場或公會,他們是從生活中學習。在中古世紀,德國年輕人只要能肩起武器時,就可從父親的權威下脫離,那年紀約莫是十二至十五歲之間。而英文語系的男孩,則在滿十二歲時,被視為自由人,並得為自己的行為負責。」(參「今日基督教刊物」,1981年3月13日)

從這些資料我們可以看到,青少年期可能是這個世紀所特有的現象,因此之故,父母在處理「放手讓孩子離開」的過程中,倍感焦慮。

在幫助孩子邁向獨立時,有件事是很有助益的,就是預先定下開始放鬆孩子的年紀。但是,雖然這樣做很有助益,但也是父母最難做到的事情之一。為甚麼呢?因為有時父母從管轄家庭中,心中會得到一種成就感,甚至權威感(參凱斯樂Jay Kesler,「孩子大了不能打」Too Big to Spank)。又或許可能是因我們自己不願面對孩子已長大的事實。還有可能是有些父母在感情上很依賴孩子;基本上,夫妻之間感情已經破裂,而需仰賴孩子來維繫。最後,還有可能是父母心中害怕自己未盡好父母之職,怕孩子一出去就會失敗。

但總有一天,我們只需扮演督導的角色,卻不需再為孩子的行為負責了。我們必須放鬆手中韁繩,讓他們自己作決定(參史聞道Charles R. Swindoll,「你與你的孩子」You and Your Child)。

我認為十三歲是開始放鬆的良機,因為這時孩子成長得很快。同時性方面的發育也大約是在此時開始,這正是開始改變對孩子作風的好機會。波爾(Ken Poure)一家正是如此行,他說:「孩子一到青少年期時,我們就推行一套計畫。每個孩子都盼望著那一天的來臨。所以,我們也把那一天弄得很特別。我們安排了所謂的『成年派對』,或屬靈的『成年禮』。從那天開始,我們視孩子為青年人。」(「父母,給你的孩子一次機會」Parents, Give Your Kid a Chance)

如果,您的孩子已經過了十三歲生日,那麼就應及早開始鬆

手。這或許也是與孩子建立良好溝通的好機會,因在這階段的孩子,可能最不願與家裏牽連太多。

如果我們不定下個時間開始放鬆,並忠實地朝此目標努力,那麼孩子的青少年期很可能要拖到二十二、三、四歲。幫助孩子早早開始,好讓他在十八、九歲時,就能為自己的生命作聰明有智慧的抉擇吧!

與本段有關文字
第五冊第四章 如何幫助孩子獨立?

兒去巢空

■柯艾芙 Evelyn Christenson

適應空巢的祕訣之一,乃是在孩子們完全離開之前,父母雙方都另找一些需要他們地方。這點幫助了我適應空巢。當孩子們已長大,但仍在家時,我教幾堂關於禱告的課。但是每週我只去一、兩個晚上,一年中也很少離家多過兩個週末。

當孩子們終於獨立,不再住在家裏時,我的事奉工作也正好開展。我相信這乃是因為在養育孩子的事上,我一直很忠心,神知道我會在更大的事上忠心。

如果父母在孩子離開前已有半職的工作,那麼等到孩子離家時,就可以擴展自己的事工,全職去做了。雖然看孩子離開是很難,但父母可以因神呼召他們去做不同的事工(無論何種事工)而感恩。

因此,當我們在養育兒女時,也不要忽略了神在其他方面對我們的呼召。當孩子們在家時,我們可以培養對神呼召的順服,等到他們離去後,我們就因可多花時間做神所呼召的事,而心存感恩。

作了祖父母,要重新界定自己的角色

女兒們結婚後,我重新界定自己角色的方法之一,就是不稱呼她們的丈夫為女婿,而稱之為愛婿。在女兒們結婚之前,我不知道自己是否能愛他們如同己出,但是我確實是這麼愛他們。在我與他們的來往當中,我以無私的愛去愛他們,也不想去管轄他們,而由他們自己去管轄他們的家庭、兒女和生活。

等到兒女們有了孩子後,我與他們就更親近了,因為他們比較能體會到我作父母所體驗過的一切。當祖父母是任何人所能享有最美好的事。女兒們逗我說,對那些孫兒們,我真是痴得可以,而我也的確是這樣。

我發覺為兒孫們禱告是非常重要的事,因此當我一聽到她們懷了身孕,我就開始每天為寶寶們禱告,願神自己充滿他們,即使他們正在母腹中成形。我為每一天正在成形的胎兒禱告——那小小的手指,或態度,祈求神以祂的靈來觸摸他們。

福音書中提到人們如何將嬰孩抱到耶穌跟前,而祂又如何地抱他們、摸他們並為他們禱告。我就求告神,既然耶穌不能親自在這裏為孫兒們做這些事,那麼,盼望從我的禱告中,兒孫們能感受到耶穌的撫摸;讓我的撫摸成為耶穌的撫摸,我的話語成為耶穌的話語,我的禱告成為耶穌的禱告。我希望他們從我身上體驗到耶穌。

孩子不想離家時
■柯艾芙
Evelyn Christenson

我見過不少孩子,不願離開他們父母的家。但是總有那麼一天,父母得鼓勵孩子離家。為甚麼?這樣做對孩子才算公平。因為他若留在家裏,就不能學到他當學的功課。他學不到如何做一個獨立、負責的人,而他的父母也容許他去倚賴別人。

這樣做對父母也不公平。他們得繼續侍候這個大小孩,為他洗衣、買菜、燒飯。所以當時候到了,我們總是要設法告訴孩子,或讓他看到,他得離開父母獨立了。

> 與本段有關文字
> 第五冊第四章　保持一個開放的家

幫助孩子離巢
■賴德
Norman Wright

有不少父母，在應當對孩子們嚴格時，卻太寵了。如果父母不勉強青少年孩子擔負自己的責任，就是助長孩子們未來的失敗。

舉個不想離巢的青少年為例。他已經十八歲了，卻不想上學或找全時間的工作。於是他找了一個部分時間的工作，然後把其他時間花在喝酒及與朋友鬼混。

他父母說：「聽著！你得去找個全天的工作，並且搬出去自己學獨立。你已經十八歲了，而且又不上學。」

「除非我找到全天的工作，我不能搬出去。」他說。

「那麼，就去找呀！」他父母回答。但是真的要找時，孩子又不去做，因為他不想離家。因此，父母就讓他留下了。

那父母可能因想幫助他，而讓他留下，但是，總有一天，太多救助，就造成孩子的不負責任。孩子學到：「嘿，幹嘛費神去賺錢過活？只要我能矇騙爸媽，我就能在這裏免費吃住啦！」

這時，我們就得像老鷹一樣，將孩子推出窩巢，即使那會使我們心痛。有個例子，那作父母的不得不將孩子所有的東西裝進他的車子，說：「你現在要靠自己過活了！」他們說：「我們已經給你兩個月去找個地方住，你沒去找。我們告訴過你，今天是最後期限，現在只好把你趕出去了。」

這樣的震驚令孩子不得不往前邁進。或

許在別的例子中,那孩子可能乾脆住在車中,繼續與朋友鬼混,但那也是他自己的選擇。

若家中其他成員因這孩子而受到不良影響時,這點就更顯重要了。比如說,家中有四個孩子,老大已經十七歲,吸毒。其他三個較小,就很容易受到影響。如果那老大積習不改,那麼作父母的可能得為另外三個孩子的緣故,令他搬到別地方去住。

這是最難作的決定之一,但是我們寧可給其他三個孩子機會,而不要讓所有的努力都因想去幫那不願接受幫助的孩子,而白白付諸東流。